MIS AMIGOS DE

EL BARCO
DE VAPOR

Pablo Diablo anda suelto

Francesca Simon · Ilustraciones de Tony Ross

Primera edición: octubre 2008
Tercera edición: julio 2010

Dirección editorial: Elsa Aguiar
Coordinación editorial: Gabriel Brandariz
Coordinación de diseño: Felipe Samper
Diseño de interior: Leticia Esteban García-Maroto
Traducción: Miguel Azaola
Ilustraciones: Tony Ross

Título original: Horrid Henry rules the world
Publicado por primera vez en Gran Bretaña
por Orion Children's Books

© Francesa Simon, 2008
© Tony Ross, 2008
© Ediciones SM, 2008
    Impresores, 2
    Urbanización Prado del Espino
    28660 Boadilla del Monte (Madrid)
    www.grupo-sm.com

ATENCIÓN AL CLIENTE
Tel.: 902 121 323
Fax: 902 241 222
e-mail: clientes@grupo-sm.com

ISBN: 978-84-675-3105-3
Depósito legal: M-30150-2010
Impreso en España / Printed in Spain
Imprime: Gráficas Monterreina, S.A.

Contiene chip de sonido con batería no recargable. El chip de sonido
se encuentra debidamente protegido, por lo que no debe extraerse
ni manipularse. El chip se activa con la luz. Este libro y el chip de sonido
que incorpora cumplen todas las normas de seguridad de la UE.

Pablo Diablo

anda suelto

Francesca Simon · Ilustraciones de Tony Ross · Traducción de Miguel Azaola

5

Los horrorosos gritos
atravesaban la puerta cerrada
del cuarto de la señorita Mariví Bisturí, la enfermera.

Pablo Diablo miró a su hermano menor, Roberto,
el niño perfecto.

Roberto miró a Pablo. Luego, los dos miraron
a su **padre**, que siguió impasible, mirando al frente.

Pablo y Roberto se encontraban en la consulta
de la doctora Lisístrata Lamata.

También estaba allí Marga Caral a r g a.
Y Susana Tarambana, Andrés Pesteapiés,
Peporro Ceporro, Guillermo el Muermo,
Arturo Coco**duro**, Vanesa la Espesa, Clarisa Monalisa,
Renato Mentecato y casi toda la panda
con que se codeaba Pablo.

Cada cual a la espera del terrible momento
en que la señorita Bisturí pronunciara su nombre.

Era el peor día de todos. El día de **la inyección**.

A Pablo Diablo no le asustaban las arañas.
Tampoco le asustaban los f a n t a s m a s .
Ni los ladrones, ni las pesadillas,

ni los crujidos de puertas,
ni ningún misterioso
ruido nocturno.
Solo le asustaba una cosa.

Pensar siquiera en… en…
una… inyección
(Pablo solo conseguía
pronunciar la palabra
a duras penas),
le producía escalofríos, tiritonas,
estremecimientos y temblores.

La señorita Bisturí entró en la sala de espera.

Pablo contuvo la respiración.

«Por favor, que llame a otro», rogó en silencio.

–¡Guillermo! –dijo la señorita.

Guillermo el Muermo$_{zzz}$ rompió a llorar.

–Vamos, nada de lloriqueos –dijo la señorita Bisturí.
Agarró a Guillermo
firmemente del brazo
y cerró la puerta tras él.

–Yo no necesito ninguna inyección –dijo Pablo–.
Me encuentro muy bien.

–Las inyecciones son para evitar que te pongas enfermo
–le aclaró su **padre**–. Combaten los gérmenes.

–Yo no creo en los gérmenes –dijo Pablo.

–Yo sí –respondió su **padre**.

—Yo sí —dijo Roberto.

—Bueno, pues yo no —insistió Pablo.

Su padre s u s p i r ó.

—Mira, te van a poner una inyección, y sanseacabó.

—A mí no me importan las inyecciones —dijo Roberto, el niño perfecto—. Sé lo buenas que son para mi salud.

Pablo se transformó de pronto en un extraterrestre llegado del cosmos dispuesto a poner inyecciones a los terrícolas. —**¡AYYY!** —chilló Roberto.

—**¡Deja de fastidiar, Pablo!** —gritó su **padre**.

AAAAAAYYYYYYYYYYY

—Hasta ellos llegaron unos terribles gritos desde detrás de la puerta de la señorita Bisturí.

¡¡uuAAAAYYYYY!!

OOOOOOOO!

9

Guillermo el *Muermo* salió tambaleándose, gimiendo y sujetándose el brazo.

—Llorica —dijo Pablo.

—Espera y verás —sollozó Guillermo.

La señorita Bisturí volvió a la sala de espera.

Pablo cerró los ojos.

«Por favor, no me llames», pidió para sus adentros. «A mí no».

—¡Susana! —exclamó la señorita Bisturí.
Susana Tarambana entró a regañadientes
en el cuarto de la señorita Bisturí.

¡uuAAAAYYYYY!

Se repitieron los terribles gritos.

¡¡uuAAAAYYYY!!

¡NOOOOOOOO

Y Susana Tarambana salió casi arrastrándose,
lloriqueando y sujetándose el brazo.

—Valiente quejica
—dijo Pablo.

—Pues mira tú quién fue a hablar —dijo despectivamente Susana.

—¿Ah, sí? —dijo Pablo—. No tienes ni idea.

La señorita Bisturí reapareció.
Pablo se tapó la cara con las manos.

«Ojalá no me toque a mí», pensó. «Que sea otro, por favor».

—¡Marga!

—llamó la señorita Bisturí.

Pablo se tranquilizó.

—Eh, Marga —dijo—.
¿sabías que usa unas agujas tan grandes
y tan puntiagudas que pueden atravesarte el brazo
de parte a parte?

Marga Cara l a r g a   no le hizo ni caso
y entró con decisión en el cuarto de la señorita Bisturí.

Pablo se moría de impaciencia por oír los **terribles** gritos.
¡Lo que iba a hacerle rabiar a la quejica de Marga cuando saliera!

s i l e n c i o

Por fin,
Marga Cara l a r g a   regresó a la sala de espera
contoneándose y exhibiendo con orgullo

un **enorme** esparadrapo en el brazo. Sonrió a Pablo.

—Bueno, Pablo. No te vas a creer el tamaño de la aguja
que está usando hoy. Es tan l a r g a como mi pierna.

—Cierra el pico —respondió Pablo.

Respiraba agitadamente y se estaba mareando.

—¿Te ocurre algo, Pablo? —le preguntó Marga, melosa.

 —contestó Pablo fulminándola con la mirada.

—Menos mal —dijo Marga—. Yo solo quería avisarte, porque en mi vida he visto unas agujas tan **gordas** y tan **descomunales**...

¿Cómo podía tolerarse que no hubiera gritado ni llorado?

Pablo se dio ánimo.

Hoy sería un día distinto.

Hoy iba a ser **Valiente**.

Hoy iba a ser **intrépido**.

13

Entraría con aplomo
en el cuarto de la señorita Bisturí,

le ofrecería el brazo y…

que le hiciera una faena si se atrevía.

Sí. Hoy sería el día.

En adelante le llamarían *Pablo Sin Miedo,*
el niño que se rió
cuando le clavaron la aguja,
el niño que pidió
que le pusieran otra inyección,
el niño que… **–¡Pablo!** –dijo la señorita Bisturí

–¡NO! –chilló Pablo–.
¡Por favor, por favor, NO!

–**Sí** –dijo la señorita Bisturí–. Es tu turno.

Pablo se olvidó de que iba a ser valiente.
Pablo se olvidó de que iba a ser intrépido.

Se olvidó de que todos le estaban mirando.

Pablo se puso a **gritar**, a chillar y a dar patadas.

¡AY! –aulló de dolor su **padre**.

–¡ay! –aulló de dolor Roberto.

–¡ay! –aulló de dolor Vanesa la Espesa.

Y de pronto, todos se pusieron a gritar y a vociferar.

¡No quiero la inyección!
–chillaba Pablo Diablo.

–¡No quiero la inyección!
–chillaba Andrés Pesteapiés.

–¡No quiero la inyección!
–aulló de dolor Roberto.

–**¡No quiero la** inyección!
–chillaba Arturo Coco**duro**.

15

–Basta ya –dijo la señorita Bisturí–.
Necesitáis una inyección, y una inyección es lo que vais a tener.

¡Primero él!
–exclamó Pablo señalando a Roberto.

–Pareces un bebé, Pablo
–dijo Clarisa Monalisa.

Aquello bastó.
Nadie podía llamarle bebé a Pablo y vivir para contarlo.
Le dio a Clarisa una patada con todas sus fuerzas.

Clarisa gritó.

¡¡¡aaaa ayyyyyy!!

La señorita Bisturí y el **padre** de Pablo agarraron a Pablo
cada uno por un brazo y lo arrastraron berreando
al cuarto de la enfermera.

Roberto los siguió silbando bajito... sin hacer ruido.

Pablo se liberó de una sacudida y salió a escape.

Su **padre** lo alcanzó y lo metió de nuevo en el cuarto.
La puerta de la señorita Bisturí se cerró tras ellos.

Pablo se refugió en un rincón.
Estaba atrapado.

La señorita Bisturí
se mantuvo ◀ a ▶ distancia.

Conocía a Pablo.
La última vez que le puso una inyección,
había recibido una patada.

La doctora Lamata entró en la habitación.
–¿Cuál es el problema, enfermera? –preguntó.

– ÉL

–respondió la señorita Bisturí–.
No quiere que le ponga la inyección.

La doctora Lamata
se mantuvo ◀ a ▶ distancia.

Conocía a Pablo.
La última vez que le puso una inyección,
recibió un mordisc**O** .

–**Siéntate, Pablo** –dijo la doctora Lamata.

Pablo se derrumbó sobre una silla.

No había escapatoria. ➡]

–¿Semejante escándalo por una simple inyección?
–dijo la doctora Lamata–. Avíseme si me necesita
–añadió, y salió de la habitación.

Pablo estaba sentado en su silla
respirando ᵃgiₜᵃdₐmᵉntₑ.
Trató de no mirar
cuando la señorita Bisturí
se puso a revisar

su **gigantesca** pila de jeringuillas.
Pero no pudo evitar atisbar
por entre los dedos.

Y vio cómo la enfermera
preparaba la inyección
y escogía la aguja
más l a r g a , más puntiᵃgᵘdᵃ
y más criminal que Pablo había visto
en su vida.

Luego, la señorita Bisturí se le acercó con su arma en la mano.

¡Primero él! —chilló Pablo

Roberto, el niño perfecto, se sentó y se subió la manga.

—Yo seré el **primero** —dijo—. No me importa.

—¡Au! —dijo cuando le pincharon.

—Has estado *perfecto* —dijo la señorita Bisturí.

—**¡Que chico tan bueno!** —dijo su **padre**.

Roberto, el niño perfecto, sonrió con orgullo.
La señorita Bisturí volvió a tomar las armas.
Pablo Diablo se hundió aún más en la silla.

Miró a su alrededor, **frenético**.

De pronto se fijó en un estante sobre el que se alineaba
una fila de frasquitos de medicinas.
La señorita Bisturí estaba llenando
sus inyecciones con ellos.
Pablo miró con más atención.

En las etiquetas ponía:

NO inyectar si el niño presenta
síntomas de estar enfermo o tiene fiebre.

La señorita Bisturí se acercó un poco más
con su inyección en ristre. Pablo tosió.
Más cerca. Pablo estornudó.

Más cerca aún. Pablo resolló, carraspeó y jadeó.

La señorita Bisturí dejó caer el brazo.

—¿Te encuentras bien, Pablo?

—NO —respondió Pablo con voz sofocada—.
Estoy enfermo. Me duele el pecho,
me duele la cabeza y me duele la garganta.

19

—No pu e do res pi rar —dijo en tre cor ta da men te—.

Es el asma.

—No tienes asma, Pablo —intervino su **padre**.

—Sí que tengo —dijo Pablo dando boqueadas
para tomar aire.

La señorita Bisturí frunció el ceño.
—Está un poco caliente —opinó.   —Estoy enfermo —susurró Pablo—.
                                        Me encuentro fatal.

La señorita Bisturí dejó la jeringuilla.
—Creo que será mejor que vuelva a traerle
cuando se encuentre mejor —decidió.

—De acuerdo —dijo el **padre** de Pablo.

Ya se ocuparía él de que fuera su **madre**
quien lo trajera la próxima vez.

Pablo resolló y estornudó, gimió
y se quejó hasta que llegaron a casa.
Sus padres lo metieron inmediatamente en la cama.

—Mamá —dijo Pablo tratando de que su voz sonara
lo más débil posible—, ¿puedes traerme un helado de chocolate
para suavizarme la garganta? Me duele mucho.

—Claro —dijo su **madre**—. **Pobrecito mío.**

Pablo se hizo un ovillo
debajo de las frescas sábanas.

AAAAAAAhhhhhhhhhhhhh, aquello era VIDA.

—Ah, mamá —añadió tosiendo—. ¿Puedes traerme la tele?
Es por si la cabeza deja de dolerme un poco y puedo verla.

—**Claro** —dijo su madre.

¡Qué maravilla! ¡Nada de inyecciones!
¡Nada de ir mañana al colegio!
¡La cena en la cama!

Unos nudillos llamaron a la puerta.
Debía de ser su **madre** con el helado.

Pablo se sentó en la cama,
pero al momento se acordó
de que estaba enfermo.
Se tumbó de nuevo y cerró los ojos.

—Pasa, mamá
—dijo Pablo con voz **ronca.**

—**Hola, Pablo**

Pablo abrió los ojos.
No era su **madre.**
Era la doctora Lamata.

Pablo cerró los ojos
y tuvo un terrorífico
acceso de tos.

21

–¿Qué te duele? –preguntó la doctora Lamata.

–Todo –dijo Pablo–. La cabeza, la garganta, el pecho, los ojos, las orejas, la espalda y las piernas.

–¡Cielos! –se sorprendió la doctora Lamata.

Sacó su estetoscopio y escuchó el pecho de Pablo.
Todo bien.

Le metió una varita en la boca
y le pidió que dijese «AAAAAAAAAHHHHH»
Todo bien.

Le examinó los ojos y los oídos, la espalda y las piernas.
Todo parecía estar perfectamente.

–¿**Cómo está, doctora?** –preguntó la madre de Pablo.

La doctora Lamata meneó la cabeza.
Parecía preocupada.

–Está **muy enfermo**.
Solo hay una forma de curarle.

–¿**Cuál?** –preguntó el **padre** de Pablo.
–¿**Cuál?** –preguntó la madre de Pablo.

–¡Una inyección!

TABLA DE AGUJAS

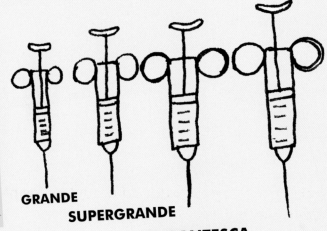

GRANDE

SUPERGRANDE

GIGANTESCA

HIPOPOTÁMICA

23

¡PABLO DIABLO Y La fiesta DE FIN DE CURSO

– ¡Paaa**ablooOOOOOO!**

¡Ro**bertOOOOOOO!**

¡Necesito vuestra contribución
para la FIESTA de fin de curso **AHORA MISMO!**

La madre de Pablo y de Roberto estaba de mal **humor**.

Ayudaba a la **madre** de Marga Caral a r g a.
a organizar la venta benéfica,
y había perseguido sin descanso a Pablo
para que se desprendiera
de algunos de sus juegos y juguetes más viejos.

Pablo Diablo odiaba dar cosas.

Lo que le gustaba era que se las dieran a **él**.

Pablo estaba de pie en medio de su cuarto.
Todas sus posesiones estaban esparcidas por el suelo.

–¿Por qué no te desprendes de esas  ?
–preguntó su **madre**–. Ya no juegas nunca con ellas.

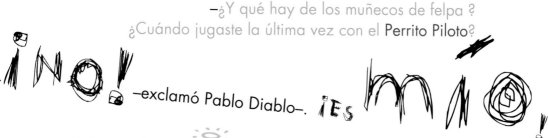–respondió Pablo.

Seguro que algún día le serían de utilidad.

–¿Y qué hay de los muñecos de felpa ?
¿Cuándo jugaste la última vez con el **Perrito Piloto**?

–exclamó Pablo Diablo–. ¡ES **MÍO**!

Roberto, el niño perfecto ,
apareció en el quicio de la puerta
arrastrando dos **enormes** bolsas.

–Aquí tienes mi contribución
para la fiesta de fin de curso,
mamá –dijo.

–¿Estás seguro
de que quieres regalar
toda esta cantidad
de juguetes?
–preguntó.

27

Su madre echó un vistazo al interior de las bolsas.

—Sí —respondió Roberto—.
Me gustaría que otros niños se divirtiesen jugando con ellos.

—Qué niño tan generoso eres, Roberto
—comentó su **madre** dándole un **achuchón.**

Pablo frunció el ceño.
Por él, Roberto podía regalar todos sus juguetes si quería.
Él prefería conservar los suyos. Pero,

¡un moment**O**!

¿Cómo podía habérsele olvidado?

Pablo metió un brazo debajo de la cama
y sacó una caja **grande** cubierta con una manta.

La caja contenía todos los regalos ridículos e inútiles
que a Pablo le habían hecho en su vida.
    Cajas de pañuelos.
        Camisetas con patos estampados.
Una guía de la naturaleza.

Pablo no soportaba la naturaleza.
¿Cómo podía la gente perder el tiempo
contemplando fotos de árboles y flores?

Por último, en el fondo de la caja
estaba el peor de todos los regalos:

Carmencita,
tu muñeca favorita,
que habla, llora, corre y grita.

Se la había mandado por Navidad
una *tía abuela*
a la que no había visto nunca.
Todavía llevaba colgando
la tarjeta que había escrito la tía abuela.

Querida Paulita:
He pensado que esta muñeca
sería perfecta para una encantadora niña
de dos años como tú.
¡Cuida bien de tu nueva hermanita!
Te quiere,
Tía abuela Pamela

Y, lo que era peor:
Roberto, en cambio, había recibido algo estupendo.

Querida Robertito:
A estas alturas debes de estar ya hecho un buen mozo
y serás demasiado mayor para enviarte juguetes,
así que aquí tienes tres euros.
¡No te gastes todos en caramelos!
Te quiere,

                           Tía abuela Pamela

Pablo había RABIADO y suplicado,
pero Roberto se había quedado con el dinero,
y él se había tenido que aguantar con la muñeca.

Sentía demasiada vergüenza
como para tratar de venderla,
de modo que la conservaba escondida
debajo de su cama,
junto a los demás regalos absurdos.

Toma esto

—dijo Pablo,
al tiempo que le daba
a la muñeca una **patada.**

—¡Mamá, mamá, mamá!
—rompió a parlotear la muñeca—.
¡Nena, **pupa!**

—¡El regalo de la tía abuela Pamela,

ni hablar!

—determinó la **madre** de Pablo.

_Tú verás

– dijo Pablo–.
Puedes quedarte también con el resto de la caja
si quieres.

—Habrá niños afortunados
que se alegrarán mucho con estas cosas
—suspiró su **madre**.

Recogió todos los regalos
y los metió en el saco de cachivaches para la fiesta.

¡Por fin se había librado de la dichosa muñeca!

Había vivido aterrado pensando
que Renato el Mentecato
o Marga Caralarga
vinieran un día y la encontraran.

33

Ya no tendría que volver a ver aquel **melenudo** objeto
parlanchín, llorón, andarín y chillón en toda su vida.

Se metió sin que lo vieran en el cuarto de invitados
donde su **madre** guardaba
todos los juguetes donados para la fiesta.
Podría valer la pena darse prisa
y ponerse el primero en la cola.
Le apetecía echar un vistazo
y ver si había algo interesante entre las cosas
que se venderían al día siguiente.

Había rollos de números de rifa,
botellas de **vino**,
un tonelillo para el barril de la suerte
y sacos y sacos de juguetes.

¡Menudo montón!

Pablo solo tenía que apartar un **cartelón** enrollado
que estaba encima de todo
y ponerse a revolver.

Echó a un lado el **cartelón**

y se **detuvo.**

«¿Qué será ese cartel?», se preguntó.

«Lo desenrollaré un poquito
y le echaré un vistazo.
No molesto a nadie con ello».

Deshizo con cuidado el nudo de la cinta
y e x t e n d i ó el cartel en el suelo.

Dio un grito sofocado.

Aquello no era un trasto cualquiera.

¡Era el Mapa del Tesoro!

¡Vaya si valía la pena
intentar encontrar el dichoso tesoro!

El niño que adivinara dónde estaba escondido el tesoro, siempre ganaba un premio fabuloso.

El año anterior, Susana Tarambana se había llevado un monopatín.

Un año antes, a Peporro el **Ceporro** le había tocado una metralleta de agua Supercalahuesos 3000.

Pablo Diablo lo intentaba siempre al menos cinco veces.
Pero tenía tan **mala suerte** que nunca se había aproximado siquiera.

Pablo contempló el mapa.

Allí estaba la isla con sus **cuevas** y sus **lagunas**, y el **M A R** que la rodeaba, lleno de ballenas,

tiburones y barcos piratas.

El mapa estaba cuadriculado en cien casillas numeradas.

En algún punto, bajo una de las casillas,
tenía que haber
una ✖.

*Solo voy a admirar
este dibujo tan bonito.*

Lo miró fijamente una y otra vez.

Ni rastro de la ✖.

Pasó las manos sobre el mapa.

Ni rastro de la ✖.

Pablo dio un resoplido.

¡**No** había **derecho**!

35

A 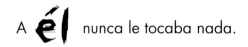 nunca le tocaba nada.

Y estaba seguro de que este año el premio
iba a ser una Supercalahuesos 5000.

Pablo levantó el mapa para enrollarlo.
Y de pronto, cuando lo puso a contraluz,
una X grande e inconfundible apareció bajo la casilla 42.

El tesoro estaba justo debajo del ojo de la ballena.

Pero un momento...
Su madre era la encargada
del tenderete del Mapa del Tesoro.
Si se ponía el primero de la cola
y marcaba la casilla 42 de entrada,
resultaría sospechoso, sin ninguna duda.

Y de pronto tuvo una idea brillante, **espectacular**...

Había descubierto el se**cre**to.

¡ESO ES!

–exclamó Pablo Diablo dando un puñet**azo** al aire–.

¡Por fin, mi día de suerte!

¿Cómo podría permitir que otros niños
pasaran antes que él y al mismo tiempo asegurarse
de que ninguno de ellos eligiera la casilla en cuestión?

  –cantaba alegremente Pablo,
camino de la fiesta de fin de curso con Roberto,
su **madre** y su **padre**.

–**Estás muy contento hoy, Pablo**
–señaló su **padre**.

–Me siento afortunado
–comentó Pablo Diablo.

Irrumpió en el patio de recreo y fue derecho
al tenderete del Mapa del Tesoro,
donde ya se había formado una cola de niños
ávidos de pagar 50 céntimos por probar su suerte.

Allí estaba el premio misterioso,
una respetable y tentadora caja del tamaño
de una metralleta Supercalahuesos...

Renato Mentecato
era el primero de la cola.

–Eh, Renato –musitó Pablo–.
Sé dónde está la X del TESORO.
Si me das un €uro, te lo digo.

–Hecho –dijo Renato.

–El 92 –susurró Pablo.

–¡Gracias! –respondió Renato.

Escribió su nombre en la casilla 92 y se marchó silbando.

La siguiente era Marga Caralarga.

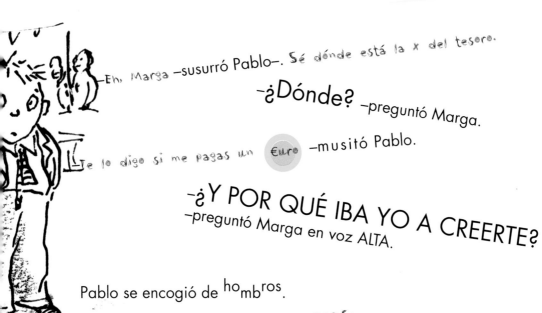

—Eh, Marga —susurró Pablo—. Sé dónde está la x del tesoro.

—¿Dónde? —preguntó Marga.

—Te lo digo si me pagas un €uro —musitó Pablo.

—¿Y POR QUÉ IBA YO A CREERTE?
—preguntó Marga en voz ALTA.

Pablo se encogió de hombros.

—Pues no me creas.
Se lo contaré a Susana entonces
—concluyó Pablo.

Marga le dio a Pablo
la moneda de un euro.

—Casilla **2** —susurró Pablo Diablo.

Marga escribió su nombre en la casilla 2 y desapareció.
Pablo le confió a Vanesa la Espesa que la casilla del tesoro era la 4.

Le confió a David el de Madrid que la casilla del tesoro era la 100.

A Guillermo el Muermo zzZ le dijo que era la 22.

A Andrés Pesteapiés le dijo que era la 14.

Para entonces, Pablo consideró
que ya era hora de que él mismo marcara la casilla ganadora.

Se aseguró de que ninguno de los niños
a los que había engañado estaba cerca
y se metió a empellones en la cola, detrás de Tino el Tocino.

Tenía los bolsillos repletos de monedas.

–¿Qué número eliges, Tino? –preguntó la **madre** de Pablo.
–No sé –dudó Tino.

–Hola, mamá –dijo Pablo–.
Toma mis 50 céntimos.
Mmmmm... ¿Dónde estará ese TESORO?

Pablo Diablo fingió que estudiaba el mapa.
–Creo que probaré con el 37 –dijo–.

No, espera, el 84. Espera, espera, que aún estoy pensando...

–Date prisa, Pablo –le apremió su **madre**–.
Hay otros niños que también quieren jugar.

–Vale, el 42 –dijo Pablo. Su **madre** le miró.
Pablo le dirigió una sonrisa
y escribió su nombre
en la casilla.
Luego se alejó tranquilamente.

Sentía que la Supercalahuesos estaba ya en sus manos.
¡Cómo se lo iba a pasar poniendo a los profesores
perdidos de agua!

Pablo Diablo pasó un día **fabuloso.**

Lanzó esponjas **empapadas** a la señorita Guillotina
en el tenderete de caña al profe.
Se unió al resto de su clase para bailar.
Sacó una canica del barril de la suerte.
Ni siquiera gritó cuando a Roberto, el niño perfecto,
le tocó un bloc de notas autoadhesivas en la rifa
y a él no le tocó nada,
a pesar de gastarse tres euros en números.

ES EL MOMENTO DE AVERIGUAR QUIÉN ES EL GANADOR DEL CONCURSO EL MAPA DEL TESORO

Todos salieron disparados
hacia el tenderete
cuando el altavoz retumbó
en el patio del recreo.

43

De pronto, a Pablo le asaltó un pensamiento **espantoso**.
¿Y si su madre había cambiado la X de sitio
en el último momento?

No podría **soportarlo.**
No podría **soportarlo** de ninguna manera.

¡Aquella Supercalahuesos tenía que ser suya!

–Y el número ganador es...
–su **madre** dio la vuelta al Mapa del Tesoro –.

¡El **42**! El ganador es... **¡Pablo!**

–¡Bieeen!
–exclamó Pablo.

-¿¿¿Cómo???

—exclamaron a un tiempo Renato el Mentecato,
Marga Cara l a r g a , Vanesa la Espesa, Guillermo el Muermo zzZ
y Andrés Pesteapiés.

—**Aquí tienes tu PREMIO, Pablo**
—dijo su madre, y le entregó la enorme caja—.
Enhorabuena —añadió sin mucha convicción.

Pablo rompió con ansia el envoltorio de papel.

El premio era una «**Carmencita,**
tu muñeca favorita que habla, llora, corre y grita».

—¡Mamá, mamá, mamá!
—rompió a parlotear la muñeca—. ¡Nena, **caca!**

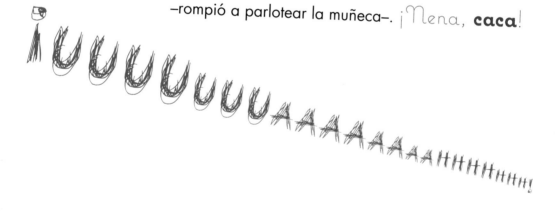

¡UUUUUUUUAAAAAAAAAAAAHHHHHHH!

Pablo ha perdido cinco guerreros, a Don Matón
y su escopeta Pringo-Plaf.
¿Puedes ayudarle a encontrarlos?

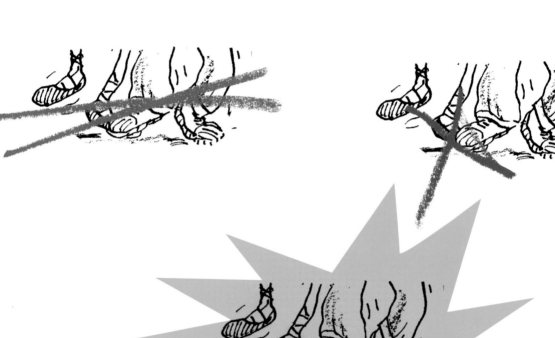

PABLO DIABLO

La clase de danza

Pomm   Pomm   **Pomm,**   Pomm **Pomm**

Pomm Pomm

Pomm

Pablo Diablo estaba ensayando su danza del elefante.

Tip Tip Tip, Tip Tip Tip Tip.

Roberto, el niño perfecto,
estaba ensayando su danza de la gota de lluvia
para la función de su *clase de danza.*

Se suponía que Pablo
también debería estar ensayando
su papel de gota de lluvia.

Pero Pablo no quería ser gota de lluvia.
Tampoco quería ser **tomate** ni **judía** ni plátano.

Hacían las **pesadas** botas de Pablo.

Tip Tip Tip, hacían los zapatos de claqué de Roberto.

—Lo estás haciendo mal, Pablo —dijo Roberto.

 —respondió Pablo.

–Pues claro que sí –dijo Roberto–.
Se supone que somos gotas de lluvia.

Pomm

Pomm

Pomm

Hacían las pesadas botas de Pablo.
Era un **elefante abriéndose paso
a través de la jungla y aplastando
a todo el que se cruzaba en su camino.**

–**No puedo concentrarme
si estás dando patadones** –protestó Roberto–.
Y tengo que ensayar mi número de solista.

–¿Y a mí qué?
—estalló Pablo–.
¡Odio la dichosa danza, odio la clase de danza y,
sobre todo, te odio a ti!

Eso no era del todo cierto.
A Pablo Diablo le encantaba la danza.

Practicaba danzas en su dormitorio,
escaleras arriba y abajo, encima del sofá nuevo
y de la mesa de la cocina.

Lo que Pablo odiaba
era tener que bailar
con otros niños.

—¿Y no podría cambiarme a clase de kárate?
—preguntaba Pablo cada sábado.

—**No** —decía su **madre**—.
Demasiado violento.

—¿Y yudo? —insistía Pablo.

—**Cuando digo
que NO, es que
NO**

—atajaba su **padre**.

Así que todos los sábados, a las 9.45 de la mañana,
el **padre** de Pablo y Roberto
los llevaba en coche a la academia de danza
de Tutú Marabú

La señorita Tutú Marabú era flaca y huesuda.
Tenía un pelo canoso, l a r g o y **recio**;
una nariz afilada, unos codos puntiagudos,
unas rodillas nudosas.

Nadie la había visto sonreír **jamás.**

Quizá era porque

Tutú Marabú **odiaba** enseñar.

Tutú Marabú **odiaba** a los niños.

Tutú Marabú **odiaba** el ruido.

Pero,
por encima de todo,

Tutú Marabú **odiaba**
a Pablo Diablo.

Y no era extraño.
Cuando la señorita Tutú gritaba:

«¡Toda **la clase,**
la pierna **izquierda** ARRIBA!»

11 piernas izquierdas se levantaban.

**Y una sola pierna derecha
se alzaba del suelo renqueando.**

Cuando la señorita Tutú gritaba:

« ¡punta, **tacón,** punta , **tacón!»,**

11 primorosos pies se ponían a zapatear.

Y un solo pie macizo pataleaba:

tacón, punta , tacón, punta .

53

Cuando la señorita Tutú aullaba:

«¡Toda la clase, un salto a la derecha!»,

11 cuerpos se lanzaban hacia la derecha.

Solo un cuerpo
daba
tumbos desgarbados
hacia la izquierda.

Como es natural, nadie quería ser la pareja de danza de Pablo.
Ni siquiera colocarse cerca de él.
Y la clase de aquel día no era una excepción,
por desgracia.

—Señorita Tutú, Pablo me está **pisando**
—dijo Alfredo Chupadedo.

—Señorita Tutú, Pablo me da patadas en las espinillas
—se quejó Vanesa la Espesa.

—Señorita Tutú,
Pablo me está empujando
—dijo Camila la Anguila.

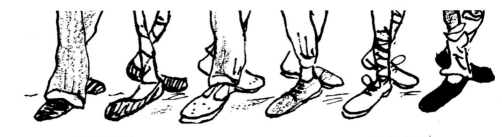

–¡PABLOoOOoooo! –aulló la señorita Tutú.

–¿qué? –preguntó Pablo.

**–Soy una mujer con m u c h a   p a c i e n c i a,
pero la estás poniendo a prueba hasta el límite**
–le advirtió la señorita Tutú con voz s i b i l a n t e –.
Una sola inconveniencia más, y te vas a arrepentir, **de veras**.

–¿qué   me   va   a   pasar?

–preguntó muy interesado Pablo.

La señorita Tutú, erguida todo lo l a r g a que era,
se llevó uno de sus l a r g o s y h u e s u d o s dedos
a la garganta y lo paseó de un lado a otro.

Pablo decidió que sería preferible seguir vivo
para presentar batalla otro día.

Se quedó en un rincón, rechinando los dientes

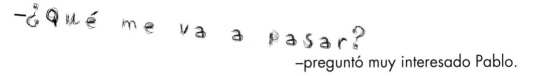

e imaginándose que era un **e n o r m e** cocodrilo
a punto de engullir a la señorita Tutú.

55

–¡Este es nuestro último ensayo antes de la función!

–ladró la señorita Tutú–.
Todo tiene que salir PERFECTO.

Once rostros se quedaron fijos en la señorita Tutú.
Un solo rostro **ceñudo** dirigió su mirada al suelo.

–Los tomates y las judías,
poneos delante

–ordenó la señorita Tutú.

–Cuando la señorita Rebollar se ponga a tocar,
todos levantáis los brazos al cielo
para darle los buenos días a la mañana.
Las gotas de lluvia os quedáis detrás,
junto a las hojas verdes **gigantes**,
y esperáis hasta que las judías hayan
encontrado los plátanos mágicos.

–Y tú, Pablo

–escupió la señorita Tutú mirándole fijamente–,
TRATA DE HACERLO BIEN.

–Todo el mundo a sus puestos.
¡Señorita Rebollar, música, por favor!
–gritó la señorita Tutú.
La señorita Pilar Rebollar
atacó el teclado.

Los t**O**mates zig^zag^uearon
girando sobre sí mismos.

Las **j**udías se ^lanzaron^ a hacer
piruetas.

Los plátanos se pusieron
de puntillas y se b^a^lancearon.

Las gotas de lluvia
taco^nearon^ suavemente.

Todas menos una.

Pablo se puso a ^a^gita^r^
frenéticamente los brazos
mientras corría ^alrededor^ de la habitación
hasta que se estrelló contra las judías.

–¡PAAABLoOoo! –aulló la señorita Tutú.

 –gruñó Pablo.

–¡Siéntate en el rincón!

…estaba encantado.

…tó en el rincón

…puso a hacer unas muecas espantosas
mientras Roberto ejecutaba su número de solista.

Tip tip tip, tip tip tip.

Tipi tipi tap, tipi tipi tap.

Tip tipi tap, tapa tapa tip.

—Ha sido perfecto, ¿verdad, señorita Tutú?
—preguntó Roberto.

La señorita Tutú suspiró.

—Perfecto, Roberto. Como siempre
—asintió, y las comisuras
de los labios le temblaron ligeramente.

Era lo más parecido a una sonrisa
de lo que era capaz de expresar la señorita Tutú.

Luego vio a Pablo despatarrado en la silla
y su boca recobró el gesto avinagrado habitual.

La señorita Tutú levantó a Pablo a empellones de la silla
y lo arrastró a lo más apartado del **fondo** del escenario,
detrás de las demás gotas de lluvia.
Luego le empujó detrás de una hoja verde gigante.

–¡Quédate ahí! –gritó la señorita Tutú.

—Pero es que aquí no me verá nadie –dijo Pablo.

–Precisamente por eso
–dijo la señorita Tutú.

Era la HORA DE LA FUNCIÓN.

El **telón** estaba a punto de levantarse.
Los niños esperaban silenciosos en el escenario.

Roberto, el niño perfecto, estaba tan emocionado
que no le faltaba nada
para empezar a dar saltos de un lado a otro.

Naturalmente, se controló y se estuvo **quieto.**

Pablo Diablo no estaba nada emocionado.

No quería hacer de gota de lluvia.
Y menos aún quería ser una gota de lluvia
que danzara detrás de una hoja verde gigante.

La señorita Rebollar se dirigió pa to sa men te hacia el piano
y empezó a aporrear el teclado.

Se levantó el **telón**.

Entre el público, con los demás padres,
estaban el **padre** y la madre de Pablo y Roberto.

Se habían sentado en la última fila, como siempre,
por si tenían que emprender una huida precipitada.

Agitaron las manos y sonrieron a Roberto,
que se erguía con orgullo en el proscenio.

—¿Puedes ver a Pablo? —susurró su **madre**.

Su padre escrutó el escenario con la mirada.

Por detrás de la hoja verde asomaba un mechón
de **pelo** rojizo.

—Me pregunto por qué se estará escondiendo —dijo su **madre**—. No le pega nada ponerse vergonzoso.

—Hmmmm —musitó su **padre**.

—SSsshhhhhhhhhhhhhh —sisearon los padres que tenían al lado.

Pablo observaba cómo los tomates y las judías
buscaban de puntillas a los plátanos mágicos.

«Yo no me quedo aquí detrás»,
se dijo, y se abrió paso a empujones entre las gotas de lluvia.

—¡Deja de empujar, Pablo! —susurró Vanesa.

Pablo empujó aún más **fuerte**
y se puso a dar taconazos con las demás gotas de lluvia.

La señorita Tutú e s t i r ó un brazo huesudo
e hizo desaparecer a Pablo detrás del *decorado*.

«De todos modos, vaya un aburrimiento ser gota de lluvia»,
pensó Pablo. «Escondido aquí, podré hacer lo que quiera».

Las judías hacían piruetas.
Los tomates
zigzagueaban girando sobre sí mismos.

Los plátanos se balanceaban de puntillas.

Las gotas de lluvia
taconeaban
suavemente

Pablo daba aletazos con los brazos imaginándose
QUE ERA UN PTERODÁCTILO
A PUNTO DE LANZARSE

EN PICADO SOBRE LA SEÑORITA TUTÚ.

Voló en círculos sucesivos
cerniéndose
sobre su presa.

Roberto,
el niño perfecto,
se adelantó
y empezó su número
de solista.

Tip tip tip,
Tipi tipi tip,
Tip tipi tap,

¡CATAPUM!

Una hoja **verde gigante**
se precipitó sobre las gotas de lluvia derribándolas al suelo.

Las gotas de lluvia colisionaron con los **tomates.**

Los tomates se estrellaron contra las judías.

Las judías chocaron con los plátanos.

Roberto, el niño perfecto,
volvió la cabeza en plena danza
para ver qué estaba ocurriendo,
se salió   del escenario y fue a caer sobre la primera fila.

La señorita Tutú se desmayó.

Pablo ejecutó
la danza del elefante.

Pomm **Pomm**

Pomm

Pomm

Pomm

Pomm

Bumm

Bumm **Bumm**

Bumm

Bumm

Bumm

Pablo ejecutó
la danza del búfalo salvaje.

Roberto intentó encaramarse de nuevo al escenario.

Cayó el **telón**.

Se produjo un l a r g o
s i l e n c i o .

Hasta que los padres de Pablo batieron sus palmas.

Todos los demás padres corrieron hacia la señorita Tutú
y se pusieron a dar gritos.

–¡No entiendo
por qué se le ha encomendado
un número de solista
a ese horrible niño
mientras todo lo que ha hecho mi Vanesa
es estar tirada en el suelo!
—chillaba una madre.

–¡Mi Alfredo es mucho mejor bailarín
que ese niño! —aullaba otra—.
¡El número de solista tenía que haberlo hecho él!

–No sabía que enseñaba usted

danza moderna,

señorita Tutú

–dijo la madre de Camila–.

Vámonos, Camila.

–añadió mientras abandonaba **enfurecida** la sala.

¡PABLOoOOoooo! –graznó la señorita Tutú–.

¡Desaparece ahora mismo

de mi academia de danza!

–gritó Pablo.

Sabía que el sábado siguiente
iría por fin a clase de kárate.

¡NO TE PIERDAS EL ACONTECIMIENTO DE DANZA DEL AÑO!

La señorita Tutú Marabú
y sus "tuturetos"

PROTAGONIZARÁN EL ESTRENO MUNDIAL DEL BAILE

EL MERCADO DEL GRANJERO

Verás judías y tomates representar
el vals de las verduras

Te quedarás extasiado ante el Hada
de la Ciruela y su comparsa de cerezas

No podrás reprimir un OOH-AAH
al contemplar cómo los guisantes
y los champiñones giran y se contonean.

¡¡¡RESERVA AHORA TUS ENTRADAS!!!

PABLO DIABLO Y EL ORDENADOR

PABLO DIABLO

EL ORDENADOR

–¡No, no, no, no y no!

—atajó el **padre** de Pablo y Roberto.

–¡No, no, no, no y no!

—repitió la madre.

–El ordenador nuevo es solo para trabajar
—dijo el padre—.
Para mi trabajo, para el trabajo de vuestra madre y para vuestros deberes.

–Y no se usa para juegos tontos
—añadió la madre.

–Pues todo el mundo tiene juegos
en sus ordenadores
—arguyó Pablo Diablo.

–En esta casa, NO
–dijo su padre. Miró al ordenador y frunció el ceño–.

Mmmmmm...

¿Cómo se desconecta este chisme?

–ASÍ –explicó Pablo Diablo.

Y apretó la tecla **off**.

–Ajajá –asintió su padre.

¡No había derecho!
Marga Caralarga tenía **El rayo exterminador**.

David el de Madrid
tenía `La venganza
de las macroserpientes II`.

Renato el Mentecato
tenía

LA REBELIÓN
DE LOS ROBOTS
INTERGALÁCTICOS.

En cambio, Pablo Diablo tenía,

Sé un campeón de ortografía

El aula virtual

y

¡VIVAN LOS NÚMEROS

Aparte de Tino el Tocino, al que le habían regalado
por Navidad Aprende a contar sin esfuerzo,
nadie tenía unos programas tan espantosos
para sus ordenadores.

–¿De qué sirve tener un ordenador
si no se puede jugar con él?

–protestó Pablo Diablo.

–Puedes mejorar tu ortografía
–intervino Roberto, el niño perfecto–.
Y escribir tus redacciones.
YO ya he escrito una para la clase de mañana.

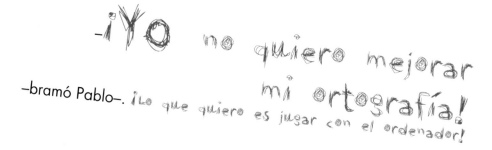

–¡YO no quiero mejorar
mi ortografía!

–bramó Pablo–. ¡Lo que quiero es jugar con el ordenador!

–Yo no –dijo Roberto–.
A no ser que sea con el juego

–Bien dicho, Roberto
–alabó su **madre**.

–¡Sois los padres más cutres del mundo y os **odio**! –chilló Pablo.

–Sois los mejores padres del mundo
y os **adoro** –dijo Roberto.

A Pablo Diablo se le acabó la paciencia.

Se abalanzó sobre Roberto rugiendo

Se había convertido
en el **monstruo
del lago Ness**.

–¡AAYYYYYYY! –graznó Roberto.

—¡Pablo, vete a tu cuarto! –gritó su **padre**–.
Y una semana sin tocar el ordenador.

—Eso ya lo veremos –masculló Pablo Diablo entre dientes,

mientras cerraba su puerta de un portazO.

Rrrrron Rrrrron Rrrrron

Con todo sigilo, Pablo Diablo dejó atrás
los ronquidos que salían del cuarto de sus padres
y bajó las escaleras de puntillas.

Allí estaba el ORDENADOR nuevo.

Pablo se sentó frente a él
y contempló con ansia la pantalla en blanco.

¿Cómo podría hacerse con unos juegos?
Solo tenía ahorrado un euro.
Ni siquiera le llegaba para comprarse
La venganza de las macroserpientes I,
pensó con desconsuelo.

Toda la gente que conocía se lo pasaba bomba
con sus ordenadores.
Todos menos él.

Le enc**ANTA**ba destruir *extraterrestres.*

Le enc**ANTA**ba mandar **grandes** EJÉRCITOS.

Le enc**ANTA**ba ser el amo del planet**a**.

Pero no.
Sus padres eran un fastidio
y solo le permitían tener juegos educativos.

¡Puaj!

Cuando fuera rey, todo el que inventara un juego
educativo sería arrojado a los leones.

Pablo Diablo exhaló un suspiro
y conectó el ordenador.

«A lo mejor hay algún juego escondido

en el disco duro»,
se dijo esperanzado.
A su madre y a su padre les asustaban los ordenadores
y no sabrían cómo encontrar algo así.

Las palabras CLAVE DE ACCESO parpadearon
en la pantalla.

«Yo me sé una clave buenísima», pensó Pablo.
Y tecleó rápidamente:

CALCETINES
APESTOSOS

Acto seguido, Pablo Diablo se puso a buscar.

Y a buscar. Y a buscar.

Pero no había juegos ocultos.
Solo cosas aburridas: las hojas de cálculo de su madre,
los informes de su **padre**...

«Vaya plasta», pensó Pablo.

Se echó hacia atrás en la silla.

¡Qué divertido sería cambiar unos cuantos números
de la aburrida hoja de cálculo de su madre!

¡O añadir unas cuantas palabras como «puajjj»
o «tonto el que lo lea»
al informe peñazo de su **padre**!

Bien pensado, mejor no...

... Un momento.

¿Qué era aquello?

¡La redacción de Roberto!

«A ver qué ha escrito», se dijo Pablo.

La redacción de Roberto, el niño perfecto,
había aparecido en la pantalla con el título:

Por qué quiero a mi profesora.

Pobre Roberto. Vaya título tan aburrido.
Voy a ver si puedo mejorárselo.

Clic clic clic clic.

Ahora la redacción de Roberto se titulaba:

Por qué odio a mi profesora.

«Esto ya es otra cosa», se dijo Pablo.

Y siguió leyendo.

Mi profesora es la mejor de todas.
Es simpática, es divertida
y hace que aprender sea un placer.
Estoy encantado de estar
en la clase de la señorita Zalamea.
¡Hurra!
¡Viva la señorita Zalamea!

«Buenooooo. Esto va de mal en peor», pensó Pablo.

Clic clic clic clic

Mi profesora es la **peor de todas**

«Pero aún le falta algo», se dijo Pablo.

Clic clic clic clic   Clic clic clic clic

La gorda de mi profesora
es la peor de todas

«Esto es otra cosa», pensó Pablo,
«Y ahora vamos con el resto».

Clic clic clic clic
Clic clic clic clic

La gorda de mi profesora
es la peor de todas.
Es antipática, es aburrida
y hace que aprender sea una pesadilla.
Estoy harto de estar en la clase
de la señorita Cacafea.

¡fuera! ¡Abajo la señorita Cacafea!

«Mucho mejor. Esto es lo que yo
llamo una redacción»,
dijo para sí Pablo Diablo.

Le dio a GUARDAR,
desconectó el ordenador y volvió de puntillas a la cama.

–¡GRRRRRRRRRRRRR!

–¡AAAAAHHHHHH!

–¡NOOOOOOOOO

Pablo Diablo saltó de la cama.

Su **padre** daba gritos.

Su madre daba gritos.

Roberto daba gritos.

Pero bueno,
¿es que no podía uno descansar con tranquilidad?
Bajó las escaleras dando zancadas.

Estaban todos junto al ordenador.

–¡Haz algo! –tronó su padre–.

¡Necesito ese informe ahora mismo!

–¡Lo estoy intentando! –aulló su madre.

Y pulsó unas cuantas teclas.

–Está **blo que a do** –dijo.

–¡Mi redacción! –gimió Roberto, el niño perfecto.

–¡Mi hoja de cálculo! –gimió su **madre**.

–**¡Mi informe!** –gimió su **padre**.

–¿Pasa algo malo? –preguntó Pablo.

–**¡Se ha averiado el ordenador!** –exclamó su **padre**.

–**¡Cómo odio estas malditas máquinas!** –exclamó su madre.

–**Tienes que arreglarlo** –insistió su **padre**–. **Tengo que entregar mi informe esta misma mañana.**

–No puedo –dijo su madre–. El ordenador no me permite el acceso.

–**No lo entiendo** –se extrañó su **padre**–. **Hasta ahora, nunca hemos necesitado una clave de acceso.**

De pronto, Pablo se dio cuenta de lo que pasaba.
Había introducido una nueva clave.
Y sin ella, nadie podía usar el ordenador.
Su madre y su padre no sabían una palabra de claves.
Todo lo que Pablo tenía que hacer para arreglar el ordenador era teclear CALCETINES APESTOSOS.

—Quizá yo pueda ayudaros, papá —dijo Pablo Diablo.

—**¿De veras?** —dijo su **padre** con mirada dubitativa.

—¿Estás seguro? —dijo su **madre** con mirada dubitativa.

—Lo intentaré... —dijo Pablo, y se sentó frente al ordenador—. ¡Vaya! Pues no, no puedo —se lamentó.

—¿Por qué? —quiso saber su **madre**.

—Estoy castigado —replicó Pablo—. ¿No os acordáis?

—**Vale, castigo levantado** —concedió su padre—.

Pero date prisa.

—¡Tengo que estar en el colegio con mi redacción dentro de diez minutos! —se lamentó Roberto.

—¡Y yo tengo que irme a trabajar! —se lamentó su **madre**.

—Haré todo lo que pueda —dijo Pablo Diablo sin apresurarse—, pero el problema es muy complicado de resolver.

–¿Sabes ya lo que va mal, Pablo? –preguntó su **padre**.

> El disco duro
> está desconectado
> del disco extraduro
> y el disco megaduro
> se ha desplazado.

–¡Oooh! –dijo su **padre**.

–¡Aaah! –dijo su **madre**.

–¿Uuuh? –dijo Roberto, el niño perfecto.

–Ya aprenderás esas cosas en clase de informática, el año que viene –repuso Pablo Diablo–. Y ahora apartaos todos, que me estáis poniendo nervioso.

Apretó unas cuantas teclas y escrutó sombríamente
la pantalla. Su madre, su padre y Roberto
se   apartaron   unos pasos.

–Pablo, eres nuestra única esperanza –rogó su **madre**.

–Lo arreglaré con una condición –dijo Pablo.

–Lo que sea –aceptó su **padre**.

–Lo que sea –aceptó su **madre**.

–De acuerdo, pues –dijo Pablo Diablo, y tecleó la clave.

¡Chrrrrr! ¡Chrrrrr! ¡Chrrrrrr!

¡Plep!

Pablo Diablo sacó rápidamente
de la impresora la hoja de cálculo de su madre,
el informe de su padre y la redacción de Roberto,
el niño perfecto, y los repartió.

–Muchísimas gracias –dijo su **padre**.

–Muchísimas gracias –dijo su **madre**.

A Roberto, el niño perfecto, se le iluminÓ
la cara al ver su redacción perfectamente impresa
y la metió c o n s u m o c u i d a d o
en su cartera escolar.

Nunca había tenido que entregar una redacción
hasta entonces.

Se moría de ganas de escuchar los comentarios
de la señorita Zalamea.

—¡Dios mío, Roberto, qué trabajo
tan bien presentado!
—exclamó la señorita Zalamea.

—Es sobre usted, señorita Zalamea
—explicó Roberto, radiante—. ¿Le gustaría leerlo?

—Naturalmente
—afirmó la señorita Zalamea—.
Se lo voy a leer a la clase.

Se aclaró la garganta y empezó:

—Por qué od…—la señorita Zalamea
interrumpió la lectura.
Su cara **enrojeció**—.

—Pe... pero... ¿tan buena es mi redacción? —graznó Roberto.

¡NO!

—bramó la señorita *Zalamea*.

—¡Bbuuuuaaaaaaaaaaa!

—rompió a llorar Roberto, el niño perfecto.

BANG BANG!

¡PAAAHH-PAAHH!

¡TA-TA-TA-TA-TA!

Otro robot intergaláctico mordió el polvo.

«A ver, ¿a qué juego ahora?»,
se preguntó feliz Pablo Diablo.
«¿A LA VENGANZA DE LAS MACROSERPIENTES !!!?
¿A EL RAYO EXTERMINADOR?»

Lo mejor de todo era que a Roberto,
el niño perfecto, le habían castigado
una semana sin usar el ordenador
después de que la señorita Zalamea
hubiera llamado a sus padres
para contarles lo de su **intolerable** redacción.

Roberto le había echado la culpa a Pablo.

PABLO LE HABÍA ECHADO LA CULPA AL

ORDENADOR.

Para Marga, la cara más larga.

Marga, caracartón,
estás realmente majareta;
como un sapo apestoso
harás

¡BOM!

y yo me desternillaré
en tu jeta.

PABLO DIABLO VE A LA REINA

PABLO DIABLO VE A LA REINA

93

Roberto, el niño perfecto,
se hizo una *reverencia* a sí mismo en el espejo.

–Majestad –dijo, fingiendo
que entregaba un ramo de flores–.

Bienvenida a nuestro colegio, Majestad.

Me llamo Roberto, Majestad.

Gracias, Majestad. Adiós, Majestad.

–y Roberto dio unos pasos atrás,
sonriendo y haciendo reverencias.

–Cierra el pico de una vez

–gruñó Pablo Diablo.

Miró **ferozmente** a Roberto.

Como volviera a decir Majestad una sola vez más,

iba...

iba...

No sabía lo que iba a hacerle, pero sería **terrible**.

PABLO DIABLO VE A LA REINA

¡La REINA iba a visitar el colegio de Pablo!
¡La REINA en carne y hueso!
La REINA entera y verdadera
con sus perros y sus joyas
y sus coronas y sus castillos
y sus alabarderos y sus guardias
y sus damas de honor...
quería ver el muro estilo Tudor
que habían construido los alumnos.

Pero, por alguna extraña razón,
nadie le había pedido a Pablo
que le ofreciera a la REINA
un ramo de flores.
Doña Enriqueta Vinagreta, la directora,
había preferido que fuera Roberto.

¡RobertO!

95

¿Por qué semejante A d e f e s i o, apestoso cararrana?

¡Qué en**O**rme injusticia!

Que tuviera más estrellas que nadie
en el Libro de ORO del colegio
no podía ser razón suficiente
para que hubieran escogido a alguien como Roberto.

ÉL, Pablo, podría hacerlo **mucho mejor**.
Además, hubiera querido preguntarle a Ja Reina
cuántos televis**O**res tenía.
Y ya nunca se le presentaría otra oportunidad…

–Majestad –dijo Roberto, inclinándose.

–«M a j E s t a d» –se burló Pablo,
do**blando** la rodilla.

Roberto, el niño perfecto, no le hizo caso.
La verdad es que ignoraba olímpicamente a Pablo
desde que le habían escogido a «**ÉL**»
para saludar a la Reina.

Pensándolo d e t e n i d a m e n t e,
nadie le había hecho el menor caso
a Pablo desde entonces.

–¿Verdad que es **emocionante**?
–dijo su **madre** por millonésima vez.

–¿Verdad que es fantástico?
–dijo su **padre** por millonésima vez.

–exclamó Pablo por trillonésima vez.

¿Qué interés podía tener darle unas asquerosas flores
a una plasta de Reina? Para Pablo Diablo, NINGUNO.
Y desde luego no le apetecía nada que su foto apareciera
en los periódicos y todo el mundo armara ¡aleo por eso.

– Reverencia, ramo, responder a la pregunta,   apartarse
–murmuraba Roberto.

De pronto se DETUVO:
¿O era ramo y luego reverencia?

Pablo Diablo estaba ya más que harto de los numeritos
de Roberto dándose importancia.

—Lo estás haciendo todo de pena —dijo Pablo.

—NADA de eso —dijo Roberto.

—Pues sí, chico listo —insistió Pablo—.
Se supone que tienes que acercarle
el ramo a la nariz
para que pueda oler las flores
antes de dárselas.

Roberto, el niño perfecto,
se quedó parado.

—¡NADA **de eso!** —replicó.

Pablo Diablo sacudió la cabeza con desaprobación.

—Será mejor que ensayemos.
Imagínate que SOY LA REINA
—dijo echando mano de la reluciente
corona **plateada** de Roberto,
cubierta de falsa pedrería, y poniéndosela en la cabeza.

A Roberto, el niño perfecto, se le ILUMINÓ la cara.
Se había pasado t o d a l a m a ñ a n a
rogando a Pablo
que ensayara con él.

—Hazme una pregunta de las que podría hacerme la Reina
—pidió.

Pablo Diablo pensó un poco.

¿Por qué eres tan apestoso, pequeño?

—preguntó la REINA, tapándose la nariz.

—¡La Reina no preguntaría… «eso»!

—exclamó Roberto, el niño perfecto,
con voz entre cor ta da.

-Claro que sí -dijo Pablo.

-Claro que NO.

-Que sí.

-¡Y no soy apestoso!

Pablo Diablo se abanicó la nariz con la mano.

-¡Puuuf! -dijo la REINA-.
Llevaos a este niño apestoso
a las mazmorras.

-Vale ya, Pablo -atajó Roberto-.
Hazme una pregunta «DE VERDAD»:
cómo me llamo o en qué curso estoy…

-¿Por qué eres semejante adefesio?
-quiso saber la REINA.

-¡MAAAMA

-llamó Roberto con voz doliente-.

¡Pablo me ha llamado adefesio!
¡Y apestoso!

-¡Pablo, deja de fastidiar a tu hermano!

—voceó su **madre**.

—¿Quieres que ensaye contigo, sí o no?

—preguntó Pablo
con voz sibilante.

—Sí

—dijo Roberto, lloriqueando.

—Pues venga, vamos

—dijo Pablo.

Roberto, el niño perfecto,
dio unos pasos en dirección a Pablo
e hizo una inclinación de cabeza.

—¡Muy mal! —dijo Pablo—.

Ante la Reina no se inclina la cabeza.
Tienes que doblar la rodilla.

—¿Doblar la rodilla? —se extrañó Roberto.
La señora Vinagreta no había hablado de doblar
ninguna rodilla—. ¡Pero si soy un chico!

—Esa regla se cambió —dijo Pablo—.
Ahora TODO EL MUNDO dobla la rodilla.

Roberto vaciló.
—¿Estás seguro? —dijo.

—Sí —dijo Pablo—.
Y cuando estés con la Reina
tienes que llevarte el pulgar a la nariz
y menear los dedos. ASÍ.

Pablo Diablo movió los dedos haciendo burla.

Roberto, el niño perfecto, se atragantó.
La señora Vinagreta no había dicho nada
de **pulgares** en las narices.
—Pero eso es... descortés —balbuceó Roberto.

—Con la Reina no —aseguró Pablo—.
A la Reina no se le puede decir «HOLA»
como si fuera una persona.
Porque es una Reina.
Y por eso tiene reglas especiales.
Si lo haces mal puede hacer
que te CORTEN LA CABEZA.

¡CORTARLE LA CABEZA!

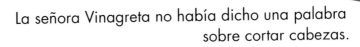

La señora Vinagreta no había dicho una palabra
sobre cortar cabezas.

-Eso no es verdad –dijo Roberto.

-Sí que lo es –dijo Pablo.

-¡No lo es! –dijo Roberto.

Pablo Diablo suspiró.

-Si lo haces mal, te encerrarán en las mazmorras......
-le advirtió-.
Saludar mal a la Reina es alta traición.
TODO EL MUNDO lo sabe.

Roberto, el niño perfecto, se quedó estupefactO.
La señora Vinagreta no había hablado
de encerrar a nadie en ninguna mazmorra.

-No te creo, Pablo –dijo Roberto.

Pablo se encogió de hombros.

—Bueno.
Pero cuando te CORTEN LA CABEZA
no me eches a mí la culpa.

«Pensándolo bien», consideró Roberto,
«es cierto que, cuando la gente iba por ahí con reyes
y reinas, se cortaban cabezas a barullo.
Pero eso seguramente solo ocurría en los viejos tiempos...».

¡MAAAMAAÁ

—gritó Roberto.

Su **madre** entró corriendo en la habitación.

—Pa blo di ce que ten go que do blar la ro di lla
cuan do ve a a la Rei na —lloriqueó Roberto—.
Y que me cor ta rán la ca be za si lo ha go mal.

Su **madre** miró a Pablo con **severidad**.

—Pablo, ¿cómo puedes ser «TAN» molesto? —dijo—.

¡Vete a tu cuarto!

—¡No me importa! —farfulló Pablo Diablo.

—Yo ensayaré contigo, Roberto —dijo su **madre**.

— Reverencia, ramo, responder a la pregunta,   apartarse
—recitó Roberto, radiante.

Llegó el **GRAN DÍA**.

El colegio en pleno, formado en el patio de recreo,
esperaba a la REINA. Roberto, el niño perfecto,
vestido con su mejor traje de fiesta,
aguardaba en la puerta junto a la señora Vinagreta.

Un **gran automóvil** negro se detuvo frente al colegio.

—¡Aquí está!

—chillaron los niños.

Pablo Diablo estaba indignado.
La señorita Agripina Guillotina le había obligado
a formar en la última fila, lo más   alejado posible
de la REINA.

¿Cómo diablos iba a averiguar
si tenía 300 televisores desde tan lejos?

Cualquiera diría que la señorita Guillotina
había querido apartarlo de la Reina a propósito,
pensó Pablo irritado.

Roberto, el niño perfecto, esperaba con un enorme ramo
de flores en la mano.
Había llegado su gran momento.

—Reverencia, ramo, responder a la pregunta,   apartarse.
Reverencia, ramo, responder a la pregunta,   apartarse

—murmuraba una y otra vez.

—No te preocupes, Roberto. Lo vas a hacer muy bien
—musitó la señora Vinagreta, animándole a adelantarse.

Pablo Diablo se puso a empujar
y a dar codazos para ver mejor.

Sí, allí estaba su estúpido hermano,
con su aspecto de gusano.

Roberto, el niño perfecto, caminó lentamente hacia la REINA.

—Reverencia, ramo, responder a la pregunta, apartarse
—murmuró. De pronto, algo le sonó raro.

La REINA miró a Roberto de arriba abajo.

Roberto miró a la REINA de abajo arriba.

—Majestad —dijo.

¿Qué es lo que tenía que hacer ahora?

El corazón empezó a latirle con **fuerza.**

Tenía la mente en blanco.

Roberto hizo una *inclinación* de cabeza.
El ramo se le chafó en la cara.

-¡Ayyy! –chilló.

¿Cómo había ensayado aquello?
¡Ah, sí, ahora se acordaba!

Roberto dobló la rodilla.

A continuación se puso el **pulgar** en la nariz
y agitó los dedos.

La señora Vinagreta dio un grito sofocado.

¿Qué es lo que habría hecho mal?

¡Aaaahhh, el ramo! Todavía lo tenía en la mano.

Roberto se lo tiró a la Reina rápidamente.

Las flores se chafaron en la cara de la Reina.

-QUÉ PRECIOSIDAD –dijo la REINA.

–¡BUUUaaa!

–gimoteó Roberto–. ¡Que no me corten la cabeza!

Se produjo un l a r g o silencio.

Pablo Diablo vio que aquella era su oportunidad.

 –gritó.

La Reina no pareció haberle oído.

–Niños, vamos todos a ver el ejercicio
de fabricación según el estilo Tudor
–dijo la señora Vinagreta.

Parecía algo pálida.

–Decía –gritó Pablo– que cuántos...

Un l a r g o y huesudo brazo tiró
de él hacia atrás.

–¡Pablo, cállate!
–interrumpió la señorita Guillotina con un susurro sibilante–.
Vete con todos al patio trasero, tal como ensayamos.
Y no quiero oírte una palabra más.

Pablo Diablo se dirigió con paso cansino
hacia la **gran cuba** de adobe sin que los penetrantes ojos
de la señorita Guillotina se perdieran
uno solo de sus movimientos.

¡No había derecho!

Cuando cada uno estuvo en su sitio,
la señora Vinagreta tomó la palabra:

–Majestad, madres **y padres**,

niños y niñas:

nuestros antepasados usaban barro y paja
para fabricar el adobe de sus muros.
Hoy la clase de la señorita *Guillotina*
va a mostrarnos cómo lo hacían.

La señora Vinagreta hizo una señal con la cabeza
a los niños que estaban junto a la cuba.

La banda de flautas de pico del colegio rompió a tocar

La clase de Pablo se puso a pisotear el barro
y la paja que contenía la enorme cuba.

—QUÉ PRECIOSIDAD –dijo la REINA.

Pablo Diablo pisoteaba
en el lugar que le habían asignado,
entre Bautista el *Velocista* y David el de Madrid.

La extensión total de la cuba,
llena de niños dando pisotones, le separaba de la REINA,
sentada en primera fila
entre la señora Vinagreta y la señorita Guillotina.

¡Ojalá pudiera estar más cerca
de la Reina para averiguar lo de los televisores!

Pablo vio que había un pequeño hueco
entre Violeta la Coqueta y Benito el Cerebrito.
Se abrió paso entre ellos a pisotones.

—¡Eh, tú! —protestó Benito.

—¡Ayyy! —chilló Violeta—

¡Mi pie!

Pablo no les hizo el menor caso.

Chaf **Chaf**

Chaf

Pablo abrió brecha entre Hilarión el **TragÓn**
y Guillermo el Muermo.

–¡Buaaaaaa!

—rompió
a berrear Guillermo.

–¡Oye! –dijo Hilarión–.

¡Deja de empujar!

¡Ya estaba a medio camino!

Pasó a empujones entre Clarisa la Monalisa
y Andrés el Pesteapiés.

–¡Socorrooooo!

—graznó Andrés
mientras caía de bruces.

–¡Pablo,
mira por dónde vas!

—dijo Clarisa, furiosa.

¡Casi había llegado!

Solo Marga Caralarga y Peporro el Ceporro
se interponían en su camino.

Marga pisoteaba y pisoteaba.

Peporro pisoteaba y pisoteaba.

Paso a paso sobre el adobe,
Pablo se acercó hasta colocarse detrás de Marga.

Chaf
Chaf
Chof
Chof

–Deja de pisotear en mi sitio
–rezongó entre dientes Marga Cara l a r g a.

–Deja de pisotear tú en el «mío»
–dijo Pablo Diablo.

–Yo estaba aquí **antes**
–rezongó entre dientes Marga Cara l a r g a.

–Mentira –dijo Pablo–.
Y ahora quítate del medio.

–QUÍTAME TÚ
–le retó Marga Cara l a r g a.

Pablo pisoteó
con más fuerza.

¡Chafla!
¡Chafla!
¡Chofla!
¡Chofl

Marga pisoteó con más fuerza aún.

¡Plaf! **¡Plaf!** **¡Plof!**

¡Plof!

Renato el MenteCATO ganaba posiciones.
Tino el Tocino, también.

¡Plaf! **¡Plaf!** **¡Plof!**

¡Plof!

Susana Tarambana acortaba distancias.
Coca la Yudoka, también.

¡Plaf! **¡Plaf!**

¡Plof!

¡Plof!

Un maremoto de barro y paja desbordó de pronto

la enorme cuba.

¡Chaf!

La señorita Guillotina se puso perdida.

¡Chaf!

La señora Vinagreta se puso perdida.

¡Chaf!

La REINA se puso perdida.

—¡Ahí va!

—dijo Pablo Diablo.

La señora Vinagreta se desmayó.

—QUÉ PRECIOSIDAD —musitó la REINA.

Palacio de Buckingham

Estimada Sra. Vinagreta:

Su Majestad la Reina me ha encargado
que le agradezca la invitación
para ver su maravilloso muro Tudor.
Le adjunto la factura de la tintorería.

Atentamente,

Alipio el Ripio

Secretario Privado de la Reina

LIMPIEZA DE LA CORONA

Por indicación de su Majestad la Reina.

Conceptos:

- Restregar y pulir el orbe y el cetro.
- Restregar y pulir corona.
- Limpieza en seco y reparación del manto de armiño.

641,99
8.740,08
12.672,39

TOTAL
22.053,96

A PAGAR EL PRÓXIMO MARTES POR ORDEN DE SU MAJESTAD, O SI NO…

La venganza de Roberto, el niño perfecto

La **venganza** de Roberto, el niño perfecto

Roberto, el niño perfecto, ya estaba **HARTO**.

¿Cómo era posible que siempre, **siempre**, **siempre** tuviera que caer en las trampas de Pablo?

Cada vez que ocurría, juraba que Pablo **jamás** volvería a jugársela.

Y siempre volvía a tragarse el anzuelo.

¿Cómo podía haberse creído
que había hadas en el fondo del jardín?

¿O que pudiera existir
un ser como el **devorampiro**?

Pero lo peor había sido lo de la máquina del tiempo.
Lo peor con muchísima diferencia.
Todo el mundo le había tomado el pelo.
Hasta Pepito el Exquisito le había preguntado
si había visto alguna **NAVE ESPACIAL** últimamente.

Bueno, pues **nunca más**.

Su infame y miserable hermano le había engañado
por última vez.

«Me vengaré»,

pensaba Roberto, el niño perfecto, mientras pegaba en el álbum el último de sus sellos de animales.

«Haré que Pablo se arrepienta de haberse portado tan mal conmigo».

Pero ¿qué clase de jugada despreciable, terrible y horrorosa podía hacerle?

Roberto nunca había intentado vengarse de nadie.

Le preguntó a Rosendo el Estupendo:

Desordénale el cuarto.

Pero el cuarto de Pablo ya estaba desordenado.

Le preguntó a Conrado el Repeinado:

Échale una mancha de espagueti en la camisa.

Pero las camisas de Pablo ya estaban manchadas.

123

Roberto abrió un número atrasado de El Chaval Ideal, su
revista favorita.
Quizá podría sugerirle algo que le sirviera
para una venganza perfecta.

Buscó en el índice:

4 ....¿TIENES TU DORMITORIO
LO MÁS ORDENADO POSIBLE?

6 ....**10** GRANDES IDEAS
PARA COMPLACER A TUS PADRES

8 ....CÓMO DARLES BRILLO A TUS TROFEOS

10 ....POR QUÉ ES BUENO PARA TI HACER TU CAMA

11 ....¡LOS LECTORES NOS CUENTAN
SUS QUEHACERES DOMÉSTICOS FAVORITOS!

Roberto cerró El Chaval Ideal de mala gana.
Algo le decía
que allí no iba a encontrar la respuesta.

TENDRÍA QUE INVENTAR ALGO

POR SÍ MISMO.

Le diré a mamá que Pablo come caramelos en su cuarto
y Pablo se meterá en un lío.
Un lío de los **gordos**.

Pero Pablo se metía en líos todo el rato.
Eso no tendría nada de especial.

Ya sé, le esconderé a Don Matón.
Pablo nunca lo admitiría,
pero no podría dormir sin Don Matón.

Aunque, ¿qué importaba que Pablo no pudiera dormir?
Lo que haría sería venir donde Roberto y echársele
al cuello, o escaparse al piso de abajo a ver
películas de terror.

Se me tiene que ocurrir algo realmente
espantoso.

A Roberto le resultaba difícil pensar en nada espantoso,
pero estaba decidido a intentarlo.

Le llamaría a Pablo cosas horribles,
como Sapo Grasiento o Caracaca. Así aprendería.

Pero si lo hago, Pablo me pegará.

Un momento.

Podría decir a todo el mundo en el colegio
que Pablo llevaba pañales.

Pablo el Pañalón.

Pablo el Pañalón apestoso.

Pablo el Carapañal.

Pablo el **Caca**pañal.

Roberto sonrió feliz.

Sería una **venganza** PERFECTA.

De pronto, dejó de sonreír.

Por desgracia, nadie en el colegio creería que Pablo
todavía usaba pañales.

¡Peor aún, podrían creer que también Roberto
los seguía usando!

¡Ayyyy!

Ya lo tengo,
meteré una rama embarrada en la cama de Pablo.

Roberto había leído una historia estupenda
en la que un hermano pequeño
le había hecho eso mismo a un hermano mayor horroroso.

Eso le daría su merecido.

Pero ¿bastaría una rama embarrada
para vengar todos los crímenes
que Pablo había cometido contra él?

No, no bastaría.

Me rindo.

No había forma.
Era incapaz de pensar en nada
lo suficientemente espantoso.

Roberto estaba sentado en su cama,
perfectamente hecha, y abrió al azar El Chaval Ideal.

*¡DILE A TU MAMÁ LO MUCHO
QUE LA QUIERES!*

Le gritaron unos titulares.

Y en ese momento, una terrible idea
empezó a germinar en su cabeza.
Era tan tremebunda, tan atroz, que Roberto,
el niño perfecto, no podía creer
que se le hubiera ocurrido a él.

—No —dijo sin aliento—. No podría.
Era algo demasiado malvado.

Pero… pero… ¿no era justamente eso lo que quería?
¿Una espantosa venganza
contra un hermano espantoso?

Lo iba a hacer: iba a vengarse.

Roberto, el niño perfecto, se sentó ante el ordenador.

Roberto imprimió la nota y luego garabateó con cuidado:

PaBlo

¡Ya está! La letra es idéntica
a la de Pablo.

Dobló la nota y se deslizó hasta el jardín;
trepó sobre el muro y la dejó en la mesa
que había en la tienda de campaña
del Club Secreto
de Marga Caralarga.

–Pues claro que Pablo me ama
–dijo pavoneándose Marga Caralarga–.
No puede evitarlo.
Todo el mundo me ama por lo encantadora que soy.

–Pues no, no lo eres –dijo Susana Tarambana–.
Eres una cascarrabias. Y eres MALA.

–¡**No** lo soy!

–¡**Sí** que lo eres!

–No lo soy.
Lo que pasa es que estás celosa
porque nadie querrá casarse contigo JAMÁS
–le espetó Marga.

–No estoy celosa.

Y además, a Pablo le gusto **más yo**
–repuso Susana agitando una hoja
de papel doblada.

–¿Quién **lo dice?**

–Lo dice **Pablo**.

Marga le arrancó el papel a Susana
de la mano y leyó:

A LA Bella SusaNa
oh SusaNa,
NADIE es tan GuaPA coMo Tú
SieMprE hueles geNIal
coMo si fuERas un ChaMPú
PABlo

131

—Como caca de cebú, querrás decir —replicó Marga con desdén.

—No es verdad —chilló Susana.

—¿Y esto es lo que tú llamas «una broma»? —bufó Marga Caralarga.

Susana Tarambana se indignó.

—Pues no señora. Estaba en la mesa del club, dirigida a mí. Lo que pasa es que estás **celosa** porque Pablo no te ha escrito un *poema*.

—¡Bah! —dijo Marga Caralarga.

Pero Pablo se iba a enterar.
A ella NADIE la ponía en ridículo.
Marga agarró un bolígrafo de un manotazo
y garabateó su respuesta a la nota de Pablo.

—**LLÉVALE** ESTO A PABLO E **INFÓRMAME** A CONTINUACIÓN —ordenó—. YO ESPERARÉ AQUÍ A VANESA Y A VIOLETA.

—Llévaselo tú —replicó Susana irritada.

La venganza de Roberto, el niño perfecto

¿Por qué sería amiga
de una insoportable mandona
y una celosa cascarrabias semejante?

Pablo Diablo estaba dentro

de la **Guarida de la Mano Negra**,
planeando la destrucción del *Club Secreto*
y atiborrándose de galletas,
cuando vio que un agente secreto enemigo
se asomaba a la entrada.

—¡centinela! —aulló Pablo.

Pero aquel miserable sapo gusanoide
no daba señales de vida.

Pablo se prometió expulsar a Roberto inmediatamente.

 ¿quién vive?

–Traigo un mensaje importante
–dijo el Enemigo.

–Suéltalo rápido –le espetó Pablo–.
Estoy ocupado.

Susana se escurrió entre las ramas.

–¿De verdad te gusta mi champú? –preguntó.

Pablo se quedó mirando a Susana.
Le notó una sonrisa enfermiza,
como si le doliera el estómago.

 –dijo Pablo.

–Ya sabes, mi champú
–dijo Susana
con expresión bobalicOna.

La venganza de Roberto, el niño perfecto

¿Pero es que Susana se había vuelto majareta del todo?

–¿Es ese tu mensaje?

–No –dijo Susana frunciendo el ceño.

Le *tiró* a Pablo un trozo de papel liado
con una goma de pelo y se marchó a t o d a p r i s a.
Pablo abrió la nota:

NO me casaría contigo aunque fueras
el último ser vivo del planeta,
incluidos los sapos viscosos
y las serpientes de cascabel.

Para que lo sepas,
Marga.

A Pablo se le atragantó la galleta.

¡Casarse con Marga!

135

Antes preferiría pasearse por las calles con Carmencita,
tu muñeca favorita que habla, llora, corre y grita.

Antes preferiría aprender a dividir
por los números más l a r g o s del mundo.

Antes preferiría cambiar todos sus juegos de ordenador
por un tocador de la **Princesa BO**cadefresa.

Antes que casarse con Marga preferiría... **preferiría...**

¡preferiría casarse
con la señorita **Agripina** Guillotina!

¿Quién demonios le había metido en la cabeza a Marga la *extravagante*, **terrorífica** y repugnante idea de que quería casarse con ella?

Siempre había sabido que Marga estaba chiflada. Ahora tenía la prueba.

«Bien, bien, bien», pensó Pablo Diablo, regocijado.

¡Lo que iba a reírse de ella!

Marga nunca podría quitarse aquello de encima.

Pablo saltó sobre el muro

e irrumpió en la tienda del Club Secreto.

—Marga, caracartón, no me casaría contigo aunque me...

—¡Pablo ama a Marga! ¡Pablo ama a Marga! —canturreó Violeta la Coqueta.

—¡Pablo ama a Marga! ¡Pablo ama a Marga! —canturreó Vanesa la Espesa, haciendo horribles ruidos besucones.

—No, no la amo
—farfulló sin aliento Pablo Diablo.

Pablo intentó hablar. Abrió la b◯ca. La cerró.

—Conque no, ¿eh? —dijo Violeta.

—N◯ —dijo Pablo.

—¿Entonces por qué le has mandado
una nota diciendo que sí?

—¡Yo no he sido! —aulló Pablo.

—¡Y le has mandado un poema a Susana!
—añadió Vanesa.

—aulló
con más fuerza aún.

Las chicas del *Club Secreto*
avanzaron hacia él graznando:

—Pablo ama a Marga,

Pablo ama a Marga...

«Es el momento de emprender
una retirada estratégica», pensó Pablo.

Y corrió de regreso a su guarida con las terribles palabras
«Pablo ama a Marga» retumbándole en los oídos.

—¡ROBERTO! —bramó Pablo Diablo—.
¡Ven aquí inmediatamente!

139

Roberto, el niño perfecto, avanzó poco a poco
desde la casa hasta la guarida.
Pablo se había enterado de lo de la carta y el poema.
Era hombre muerto.

«Adiós, mundo cruel», pensó Roberto.

—¿Has visto entrar en la tienda del Club Secreto
a alguien con una nota? —preguntó Pablo
dirigiéndole una mirada asesina.

El corazón de Roberto, el niño perfecto, volvió a latir.

—No —dijo Roberto.

No era una mentira porque no se había visto a sí mismo.

—Quiero que te quedes apostado vigilando
desde el muro,
y que me informes al momento
de cualquier sospechoso
que veas.

—¿Por qué? —preguntó inocentemente Roberto.

—No es asunto tuyo, gusano —repuso irritado Pablo—.
Limítate a hacer lo que se te dice.

—Sí, Excelente y Eminente Majestad de la **Man🖐 Negra**
—dijo Roberto, el niño perfecto.

¡Se había librado por los pelos!

Pablo, sentado en su trono de la **Man🖐 Negra**,
se quedó cavilando.

¿Quién será ese sucio enemigo?
¿Quién será ese genio del mal?
¿Quién está propalando
semejantes rumores malévolos?

Tenía que descubrirlo y golpear con fuerza
antes de que la serpiente atacara de nuevo.

Pero ¿quién podía querer ser su enemigo,
siendo él un chico tan majo, tan amable y tan simpático?

Era cierto que a Renato el Mentecato
no le había entusiasmado
que le llamara Renatín el Adoquín.

Arturo el Coco**duro** no había puesto buena cara
cuando le había bajado de golpe
los pantalones durante el recreo.

Y, por alguna razón, a Benito el Cerebrito
no le había hecho gracia que Pablo le llenara
de garabatos su resumen de lectura.

Armida la Creída decía que pensaba vengarse
de Pablo por tirarle de las coletas.

Y el otro día, Daciana la **Charlatana** había dicho que
Pablo se arrepentiría de haberse reído
durante su examen oral.

Incluso Abdón el Bonachón le había advertido a
Pablo que dejara de incordiar tanto o le iba
a dar una lección que no olvidaría.

Pero quizá fuera Marga la que estuviera detrás
de aquella conspiración.
Al fin y al cabo, él le había echado una bomba fétida

en su Club Secreto.

Huuummmmmmmmm.

La lista de sospechosos era más bien larga.

Tenía que ser Renato.

A Renato le encantaban las bromas pesadas.

«Bueno, pues no tiene gracia, Renato», pensó Pablo Diablo. «A ver si ahora te gusta que te lo hagan a ti. Quizá un pequeño poema dedicado a la señorita Guillotina...»

Pablo Diablo cogió un trozo de papel y se puso a garabatear:

Doña Agripina querida,
hay que ver qué bonita es la vida
antes de la comida,
cuando contemplo la gloria
de tu nariz de zanahoria
mientras nos das clase de historia.
Te admiro tanto que después
quiero arrojarme a tus pies
aunque huelan algo a queso,
¡pero a quién le importa eso!
Señorita Guillotina, si nos dejas,
no volveré a lavarme las orejas.
Ojalá sigas dándonos lecciones
hasta que se te caigan los calzones.

«jua jua jua jua jua»

se dijo Pablo.

Iría temprano al colegio,
firmaría el poema como «Renato»,
y lo clavaría en la puerta de los lavabos de las chicas.
Renato iba a verse metido en un buen lío.

Pero, un moment⊖...

¿Y si Renato no fuera el culpable?
¿No lo sería Arturo, después de todo?
¿O Marga?

Solo podía hacer una cosa:
Pablo copió su poema siete veces
y firmó cada copia con un nombre distinto.
Los colocaría al día siguiente por todo el colegio.
Seguro que uno de ellos sería el culpable.

Pablo se coló temprano en el colegio
y clavó su poema con chinchetas
en TODOS los tablones de anuncios.
Cuando acabó, salió con aire fanfarrón al patio de recreo.

«La venganza es dulce»,
pensó Pablo Diablo.

Un grupo numeroso se había reunido
cerca de los lavabos de los chicos.

¿qué es lo que pasa?

Pablo ama a Marga

Pablo ama a Marga

Horror

Pablo miró hacia la puerta de los lavabos.
Había una nota en ella, pegada con cinta adhesiva.

> **Querida Marga:**
>
> # Te amo.
>
> **¿Quieres casarte conmigo?**

A Pablo se le heló la sangre en las venas.
Arrancó la nota de la puerta.

—Marga se ha escrito esto a sí misma
—pronunció, desafiante.

—¡No señor! —dijo Marga.

—¡Sí señora!
—dijo Pablo.

—¡Y además me amas a mí!
—le espetó Susana.

—¡De eso nada! —aulló Pablo.

—¡Porque a quien amas es a mí!
—dijo Marga.

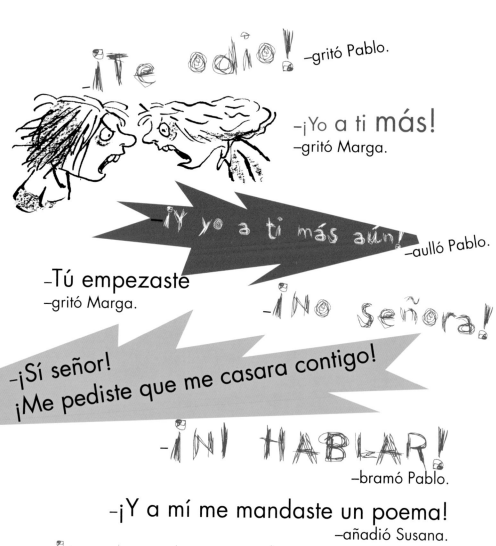

—¡Te odio! —gritó Pablo.

—¡Yo a ti **más**! —gritó Marga.

—¡Y yo a ti más aún! —aulló Pablo.

—Tú empezaste —gritó Marga.

—¡No señora!

—¡Sí señor! ¡Me pediste que me casara contigo!

—¡NI HABLAR! —bramó Pablo.

—¡Y a mí me mandaste un poema! —añadió Susana.

—¡Nada de eso! —aulló Pablo.

—**Bueno**, pues si no has sido tú, ¿**quién ha sido?** —dijo Marga.

Silencio.

–Pablo –sonó una vocecilla–,
¿podremos jugar hoy a piratas después del colegio?

A Pablo Diablo se le ocurrió
una idea insospechada.

A Marga Cara l a r g a se le ocurrió
una idea insospechada.

A Susana Tarambana se le ocurrió
una idea insospechada.

Tres pares de ojos miraron fijamente a Roberto,
el niño perfecto.

–¿QUÉ... QUÉ PASA?
–dijo Roberto–.
AAAAAhhhhh, **mamá...**

¡SOCORRO!
–aulló Roberto, el niño perfecto.
Se dio la vuelta y echó a correr.

–¡UUUUUUUAAAAAAAAAAAHHHHHHHHHHHH

—aulló Pablo Diablo, corriendo tras él—.
¡Eres hombre muerto, gusano!

La señorita Agripina Guillotina salió al patio
a paso de carga.
Llevaba, apretado en la mano,
un puñado de hojas de papel.

–¡Marga! ¡Renato! ¡Arturo! ¡Benito! ¡Armida!
¡Daciana! ¡Abdón!
¿Qué significan estos poemas?

Roberto, el niño perfecto, se estrelló contra ella.

¡Cataplás!

La señorita Guillotina cayó de espaldas
dentro del cubo de la basura.

–¡Y tú también, Roberto!
–dijo sin aliento la señorita Guillotina.
–¡Buaaaaaa! –gimoteó Roberto,
el niño perfecto.

Decididamente, de ahora en adelante se limitaría
a las buenas obras.
Quienquiera que dijese que la venganza es dulce,
no tenía un hermano tan diabólico como Pablo.

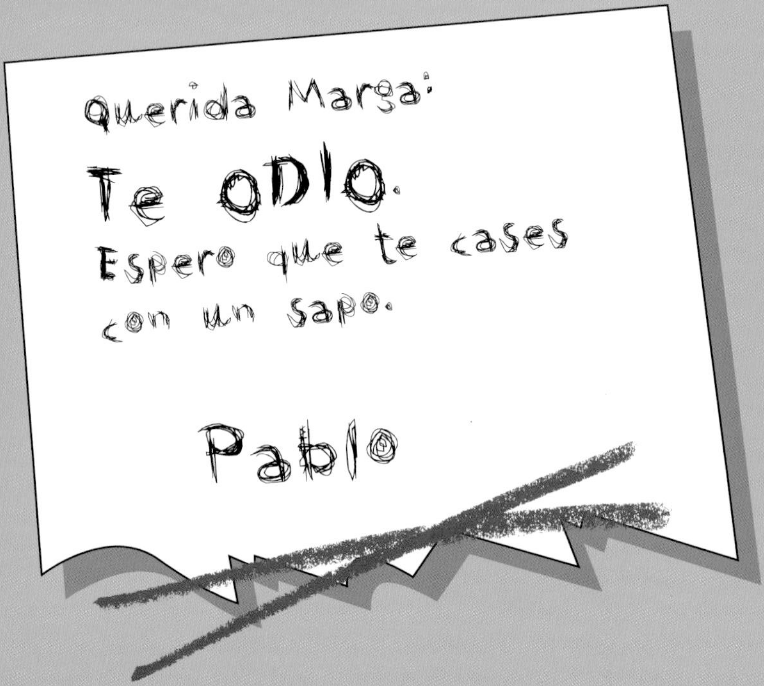
Querida Marga:
Te ODIO.
Espero que te cases
con un sapo.
Pablo

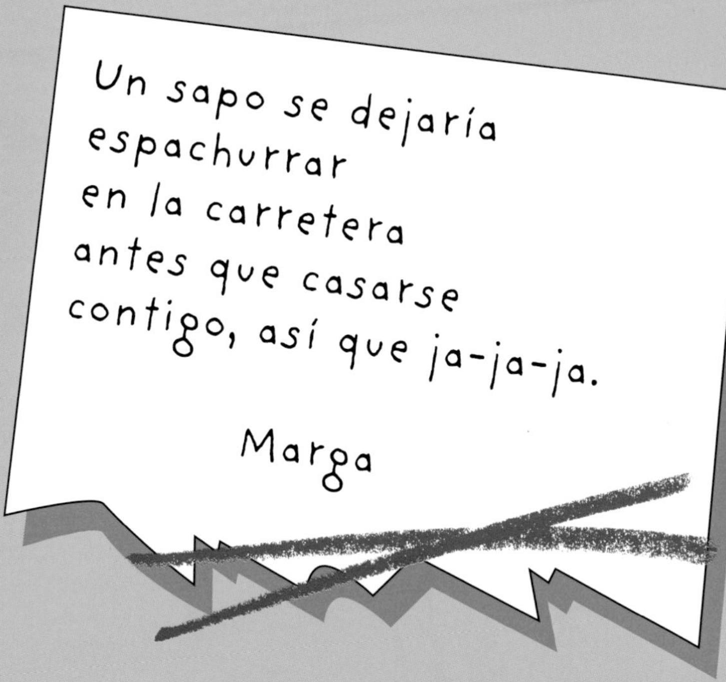
Un sapo se dejaría
espachurrar
en la carretera
antes que casarse
contigo, así que ja-ja-ja.
Marga

PABLO DIABLO y EL PARTIDAZO DE FÚTBOL

PABLO DIABLO

y

EL PARTIDAZO DE FÚTBOL

«¡… Y a solo quince segundos para el final del partido, allá va Pablo Botas de Oro, cruzando el campo como una flecha!

Los del equipo contrario intentan entrarle, ¡pero Pablo es demasiado rápido!

¡Observen ese regate!

No, no va a poder marcar desde semejante distancia, es una locura, es imposible, cielo santo, ha cruzado el balón… ¡y HA ENTRADO!

¡HA ENTrADO!

¡Otro golazo impresionante! ¡Otra espectacular victoria! ¡Y todo gracias a Pablo Botas de Oro, el futbolista más grande de la Historia!».

¡Gol! ¡Gol! ¡Gol!

Rugió la muchedumbre.

¡Pablo Botas de Oro había ganado el partido!
Sus compañeros de equipo lo llevaban a hombros,
rodeados por los hinchas, todos gritando y cantando:

¡Paaablo! ¡Paaablo! ¡Paaablo!

–¡PABLO!

Pablo Diablo levantó la mirada,
y vio a la señorita Agripina Guillotina
apoyada en su pupitre y observándolo
con sus ojos inyectados en sangre.

–¿Qué es lo que acabo de decir?

–Pablo –dijo Pablo Diablo.

La señorita Guillotina lo miró con **ferocidad**.

–Ándate con mucho ojo, Pablo –le espetó–.
Y ahora, atended bien toda la clase: vamos a hablar de…

-¡Bu_{aaaaa}! –berreó Guillermo el Muermo. _z^z^z

-¡Susana, deja de tirarme del pelo!
–chilló Armida la Creída.

-¡Señorita! –gritó Poli el del Boli–.
¡Renato me ha quitado el bolígrafo!

-¡No, señor!
–chilló Renato el Mentecato.

-¡Sí, señor! –aulló Poli el del Boli.

-¡SILENCIO, TODO EL MUN

–se desgañitó la señorita Guillotina.

–¡Buaaaaa! –berreó Guillermo el Muermo. zzz

–¡Auuuuuu! –chilló Armida la Creída.

¡Devuélvemelo! —gritó Poli el del Boli.

–Muy bien
–dijo la señorita Guillotina–,
pues no hablaremos de fútbol.

Guillermo dejó de berrear.
Armida dejó de chillar.
Poli dejó de gritar.
Pablo dejó de pensar en las musarañas.

Todos se quedaron mirando fijamente
a la señorita Guillotina.

¿Que la señorita Guillotina
quería hablar de... fútbol?
¿No sería una señorita Guillotina
extraterrestre?

157

—Como todos sabéis, el Atlético Magnético,
nuestro equipo local,
ha alcanzado la sexta ronda del torneo de Copa
—dijo la señorita Guillotina.

¡RA, RA, RA!

—aulló la clase.

—Y estoy segura de que todos sabéis lo que ocurrió
la noche pasada…

¡La noche pasada!

Pablo aún podía oír las emocionantes
palabras del presentador mientras Roberto
y él escuchaban, pegados a la radio,
el sorteo de la sexta ronda.

«El número 16, el Atlético Magnético, jugará contra…»,

hubo una larga pausa mientras el presentador
sacaba otra bola del bombo…,
«el número 7, el Megatón Fútbol Club,
campeón del año pasado».

—¡Aúpa el Magnético! —rugió Pablo Diablo.

—Como estaba diciendo
antes de que me interrumpieran de forma tan grosera…
—la señorita Guillotina dirigió otra mirada feroz
a Pablo Diablo—, el Magnético jugará contra el Megatón
dentro de unas semanas.
Cada colegio de Primaria de la ciudad ha recibido
dos entradas.
Y gracias a mi buena suerte
en el sorteo entre los profesores,
el afortunado ganador saldrá de nuestra clase.

—¡Yo! —gritó Pablo Diablo.

—¡Yo! —gritó Marga Cara l a r g a .

—¡Yo! —gritaron Arturo Coco**duro**, Bautista el Velocista,

Daciana la **Charlatana** y Benito el Cerebrito.

—No conseguiréis nada gritando

—dijo la señorita Guillotina—. Nuestra clase va a jugar
un partido de fútbol a la hora de comer.
Y el mejor jugador del partido
será quien gane las entradas.
Yo seré el árbitro y mi decisión será inapelable.

Pablo Diablo se quedó tan **PETRIFICADO**
que durante unos momentos apenas pudo respirar.

**¡Entradas para el partido de Copa!
¡Entradas para ver a su equipo, el Magnético,
jugar contra el Megatón!**

Esas entradas eran un tesoro.
Pablo había rogado y suplicado a su madre y a su **padre**
que compraran unas, pero, naturalmente,
para cuando los mezquinos, desastrosos y perezosos
padres de Pablo se habían decidido a agarrar el teléfono,
ya no quedaba ni una.

¡Y ahora se presentaba
una nueva oportunidad
para asistir al partido del siglo!

El Atlético Magnético
nunca había llegado t a n l e j o s en la Copa.
Es cierto que habían dejado ya en la cuneta

a los **Leones de Patones,**

al **Real Barrizal**

y al Deportivo Super lativo,

pero, ¡el Megatón!

Pablo **tenía que ir** al partido.
No podía dejar de ir.
Y todo lo que había que hacer

era ser el MEJOR jugador de la clase.

Solo había un problema...

Por desgracia,
el mejor jugador de la clase no era Pablo Diablo...
ni Tino el Tocino...
ni Bautista el Velocista...

El MEJOR futbolista de la clase
era Marga Caral a r g a.

El segundo MEJOR jugador de la clase
era Marga Caral a r g a.

Y el tercer MEJOR jugador de la clase
era MARGA CARALA R G A.

¡No había derecho!

¿Por qué tenía que ser precisamente Marga
una futbolista tan fantástica?

Pablo Diablo era muy bueno tirando de la camiseta.
Pablo Diablo era soberbio gritando

¡FUERA DE JUEGO!

(sin que le importara lo que eso quería decir).
Nadie era capaz de vocear

¡FUERA ARBITRUCHO!

más alto que él.

Los pisotones, codazos choques, **empujones**, cargas
y zancadillas de Pablo no tenían rival.
Lo único que Pablo Diablo no hacía bien
era jugar al fútbol.

Pero no importaba.
Hoy todo sería diferente.
Hoy se iba a concentrar a tope
y a mostrar el genio del verdadero
Pablo Botas de Oro.
Hoy NADIE lo detendría.

«Partido de Copa, allá voy», se prometió triunfalmente Pablo.

¡Hora de comer!

La clase de Pablo Diablo corrió
hacia el patio de recreo de la parte de atrás,
donde se había preparado el terreno de juego.
Dos jerséis en cada extremo marcaban las porterías.
Unos pocos padres se apiñaban junto a las bandas.

La señorita Agripina Guillotina dividió la clase
en dos equipos:

**Bautista el Velocista
sería el capitán
del equipo de Pablo,**

**Marga Caralarga
lo sería del otro.**

163

Marga se había situado ya en el círculo central,
en posición de delantero centro,
luciendo una sonrisilla confiada.
Pablo Diablo le lanzó una mirada asesina
desde el fondo del campo.

–Rabia ra-bia, que voy a ser la mejor del parti-do

—canturreó Marga Caralarga,
sacándole la lengua–. Y tú no lo será-ás-ás-ás.

–Cierra ya el pico, Marga –dijo Pablo.

Cuando él fuera REY, todo aquel que se llamara *Marga*
sería sumergido en aceite hirviendo
y luego echado a los cuervos como carroña.

–¿Me llevarás al partido, Marga?

–preguntó Susana Tarambana–.

Al fin y al cabo, soy tu **mejor** amiga.

Marga Caralarga frunció el ceño.
–¿Desde cuándo?

–¡Desde siempre!
–gimió Susana.

–¡Ya! –dijo Marga–.
Será por lo amable que eres conmigo,

¿verdad?

–Llévame a mí
–rogó Benito el Cerebrito–.
¿No recuerdas cómo te ayudé con las fracciones?

–Y cómo me llamaste estúpida –dijo Marga.

–No lo hice
–dijo Benito.

–Lo hiciste –dijo Marga.

Pablo Diablo observó a sus compañeros de clase.

Todos y cada uno miraban al frente sin pestañear,
firmemente decididos a ser el mejor jugador del partido.

¡Menudo chasco se iban a llevar cuando vieran a Pablo Diablo
marcharse tan campante con las entradas en el bolsillo!

-¡Hala, Marga!

—chilló la madre de Marga Cara l a r g a .

-¡Vamos, Bauti!

—aulló el padre de Bautista el Velocista.

-¿Todo el mundo listo?

—preguntó la señorita Agripina Guillotina—.

Tino, ¿en qué equipo estás tú?

—No sé —dijo Tino el Tocino.

La señorita Guillotina hizo sonar el silbato.

En su puesto de lateral izquierdo,
Pablo corría desconsolado arriba y abajo
sin poder entrar en juego.

¿Cómo iba a poder ser el MEJOR jugando en semejante sitio?

Muy bien, pues no pensaba seguir en ese estúpido puesto
ni un segundo más.

Pablo Diablo abandonó su posición
y salió corriendo a por el balón.

Todos los defensas contrarios le siguieron.

Marga Caralarga llevaba el balón.
Pablo Diablo corrió tras ella
y miró a la señorita Guillotina.

Estaba distraída, charlando con doña Enriqueta Vinagreta.
Pablo Diablo se lanzó a por Marga
y le hizo una entrada con los dos pies por delante.

-¡Falta!
–chilló Marga Caralarga–. ¡Me ha machacado la pierna!

-¡Trolera! –chilló Pablo–.
¡He ido a por el balón!

-¡Tramposo!
–gritó la madre de Marga Caralarga.

-Seguid jugando –ordenó la señorita Guillotina.

«¡Sí, señor!», se dijo Pablo triunfante.

Al fin y al cabo,
¿qué sabía esa Guillotina vieja y cegata
de las reglas del fútbol?
NADA.

Esta iba a ser su oportunidad de ORO
para marcar un gol.

El balón estaba ahora en poder de Pascual el Musical.

Pablo Diablo le dio un piso**tón** y un cod^azo

y se apoderó del bal**Ó**n.

–¡Eh, tú! ¡Que estamos en el mismo equipo!

Pablo Diablo siguió regateando.

–¡Pasa! ¡Pasa!
–gritó Bautista–.
¡Te lo van a quitar!

Pablo no le hizo caso.

¿Pasar el balón? ¿Es que Bautista estaba chalado?

Para una vez que tenía el balón,
Pablo Diablo estaba decidido a conservarlo.

Pero, de pronto, Marga Caralarga llegó desde atrás,

le quitó el balÓn,

sorteó a los jugadores del equipo de Pablo
y disparó un tiro a puerta
que batió a Guillermo el Muermo.

El equipo de Marga prorrumpió en vítores.

Guillermo el *Muermo*$_{z}{}^{z}{}^{z}$ se echó a llorar.

¡Llorón!

¡Bu$_{aaaaa}$! –berreó.

–gritó el padre de Bautista el Velocista.

–¡Es una tramposa! –chilló Pablo–.
¡Me había hecho falta!

¡No, señor!

–dijo Marga.

–¿Cómo te atreves a llamar tramposa a mi hija?

–aulló la madre de Marga.

La señorita Guillotina
tocó

su silbato.

–Gol del equipo de Marga. Vamos **1**–**0**

A Pablo Diablo le rechinaron los dientes.
Iba a meter un gol aunque tuviera que pisotear
a todos los jugadores uno por uno para conseguirlo.

Por desgracia, todos parecían tener la misma idea.

–¡Renato me ha empujado!

–gritó Bautista el Velocista.

–¡Ha metido las manos, que yo lo he visto!
–bramó el padre de Bautista–. **¡Expúlselo!**

–Voy a expulsarlo a USTED
si no se comporta como es debido
–le espetó la señorita Guillotina,
vigilando el juego y dando otro pitido.

–¡No es verdad!–mintió Renato el Mentecato–.

Ha sido una carga legal.

–¡No ha salido! –protestó Pablo.

–¡Claro que sí!
–gritó Marga–.
¡Ha traspasado
la línea!

–¡Ha sido mano!
–chilló Abdón el Bona**chón**.

–¡De eso, nada!
–gritó Bautista el Velocista–.
¡He ido a por el balón!

–¡Mentiroso!

–¡Trolero!

–Falta a favor del equipo de Marga
–dijo la señorita Guillotina.

–¡A**UUUUUU**!

–aulló Marina la Cantarina cuando, Benito el Cerebrito le dio una patada, alcanzó el balОn y lo cabeceó a gol, haciendo inútil la estirada de Abdón.

¡H**uuuuuurraaaa**!

¡Falta!

–coreó el equipo de Bautista.

–coreó el equipo de Marga.

–Vamos **uno a uno** –dijo la señorita Guillotina–. Quedan **5** minutos de juego.

–rugió para sí Pablo Diablo–. Debo marcar un gol si quiero tener alguna probabilidad de ser el mejor jugador del partido. Tengo que hacerlo. Pero, ¿cómo?, ¿cómo?»

Pablo echó una mirada a la señorita Guillotina.
Parecía estar hurgando en su bolso.
Pablo vio la ocasión clara
y sacó el pie en el momento en que Marga
le hacía un rápido regate.

¡cataplum!

Marga cayó al suelo.

Pablo se apoderó del balÓn.

-¡Pablo me ha par tido la pierna! –gritó Marga.

-¡No, señora!
–chilló Pablo–. ¡He ido a por el balón!

-¡ÁRBITRO! –aulló Marga.

-¡Ha hecho trampa!

—exclamó la madre de Marga—.
Árbitro, ¿es que está usted ciega?

La señorita Guillotina la miró con **severidad**.

-El estado de mi vista es perfecto, gracias
—le espetó.

«Bien, bien», rió para sus adentros
Pablo Diablo.

Pablo pisó a Benito, le dio un codazo

y le arrebató el balÓn.

Después David el de Madrid le dio un codazo
a Pablo, Renato el Mentecato pisó a David

y Susana se hizo con el balÓn

y lo chutó muy alto por encima de su cabeza.

Pablo miró hacia arriba.

El balón iba muy, **muy** alto.

Nunca lo alcanzaría a menos que…

a menos que…

Pablo vio que la señorita Guillotina
estaba mirando a un guardia de tráfico
que patrullaba delante del colegio.

Entonces saltó en el aire y dio un manotazo al balÓn.

¡Plaf!

El balón cruzó la línea de gol.

—¡Gol! —gritó Pablo.

—¡Lo ha metido con la mano! —protestó Marga.

—¡Ni hablar! —chilló Pablo—.

¡Ha sido un gol como una CASA!

¡Pa-blo! ¡Pa-blo! ¡Pa-blo!

—coreó su equipo.

 –¡**Ma**nooo! –coreó el equipo de Marga.

La señorita Agripina Guillotina hizo oír su silbato.

–¡**Final del partido!**

–voceó–.

¡El equipo de Bautista ha ganado por **2-1**!

 –gritó Pablo Diablo, dando un puñetazo al aire.

¡Había marcado el gol de la victoria y le iban a declarar mejor jugador del partido!

La clase de Pablo Diablo entró cojeando en el aula y todos
se sentaron.
Pablo Diablo se situó en la primera fila, radiante.

La señorita Guillotina le daría
las entradas a ÉL,
después de su brillante actuación
y de su espectacular gol de la VICTORIA.

La cuestión era,
¿quién más merecía ir al partido con él?

NADIE.

«Ya sé», pensó Pablo Diablo,
«venderé mi otra entrada.
Apuesto a que consigo
un millón de euros por ella.
No, mil millones de euros.
Y entonces compraré mi propio club de fútbol
y jugaré de delantero centro siempre
que me dé la gana».

Pablo Diablo sonrió feliz.

La señorita Agripina Guillotina
miró a su clase con cara de pocos amigos.

–¡Ha sido una auténtica vergüenza! –dijo–.

¡Juego sucio!

¡Cambios de sitio de las porterías!

¡Agarrones de las camisetas!

–y miró fijamente a Hilarión el Tragón–.

¡Entradas violentas!

–le dirigió una mirada severa a Renato el Mentecato–:

¡Empujones y codazos!
¡Pésima deportividad!
–sus ojos recorrieron toda la clase.

Pablo Diablo se hundió en su silla todo lo que pudo.

¡Ay, madre!

—Y no digamos nada
de los FUERAS DE JUEGO
—dijo bruscamente la señorita Guillotina.

 Pablo Diablo se hundió más aún.

—Solo ha habido UNA PERSONA
que mereciera ser la mejor del partido
—continuó—.

Una persona que ha respetado
las reglas de este magnífico deporte.

Una persona que hoy no tiene por qué avergonzarse de nada…

El corazón de Pablo Diablo dio un salto

Él no tenía por qué avergonzarse de nada. Eso seguro.

–Una persona que puede estar orgullosa de su actuación…

Pablo Diablo no cabía en sí de **orgullo**.

–Y esa persona es…

¡Yo!
–gritó Marga Caralarga.

 –gritó Bautista el Velocista.

 –gritó Pablo Diablo.

–¡El **árbitro**! –dijo la señorita Guillotina.

¿¿¡Cómo?!?

La señorita Agripina Guillotina… ¿la MEJOR del partido?
La señorita Agripina Guillotina… ¿una forofa del fútbol?

¡NO HAY DERECHO!

–exclamó la clase.

¡NO HAY DERECHO!
–exclamó Pablo Diablo.

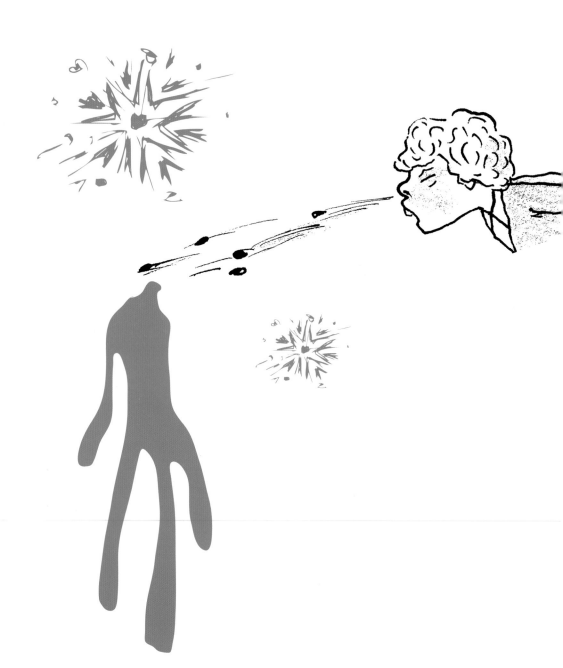

PABLO DIABLO se pone ENFERMO

PABLO DIABLO SE PONE ENFERMO

187

–¿No te encuentras bien, Roberto? –preguntó su **madre.**

Roberto tosió, se atragantó y b a l b u c e ó.

–Estoy bien –dijo por fin con voz sofocada.

–**¿Seguro?** –insistió su **padre**–.
No tienes muy buen aspecto.

–No es nada –dijo Roberto, el niño perfecto, entre tos y tos.

Su **madre** le puso la mano en la frente sudorosa.

–Tienes fiebre –dijo–.
Será mejor que hoy no vayas al colegio
y te quedes en casa.

–Es que no quiero faltar al colegio
–se quejó Roberto.

–**Vuelve a la cama** –dijo su **madre.**

—Pero es que quiero ir al colegio –gimoteó Roberto–.
Seguro que me pondré... –la pálida y sudorosa cara
de Roberto se volvió **verde.**

Salió disparado por las escaleras en dirección
al cuarto de baño.
Su madre corrió tras él.

¡BooOoooaaaaaaaaaaaaaaaaiiiiii!

La casa se llenó del horrible sonido de la vomitona.

Pablo Diablo dejó de comer su tostada.
¿Quedarse en casa Roberto?
¿Roberto faltando al colegio?
¿Roberto vagueando
y viendo la tele mientras él,
Pablo, tendría que soportar
una dura y larga jornada
bajo el yugo de la señorita Guillotina?

¡De eso nada!

Él también estaba enfermo.
¿Acaso no había tosido dos veces al levantarse?
Y estaba claro
que había estornudado la noche pasada.
Ahora que lo pensaba, podía notar perfectamente cómo
le iban invadiendo los gérmenes. Sí señor, allí estaban,
avanzando garganta abajo...

189

Plom plom plom, avanzaban los gérmenes.

«¡Socorro!», gritaba su garganta.

«Juá juá juá», se burlaban los gérmenes.

Pablo Diablo pensó en las palabras cuya *ortografía*
no había aprendido,
en el mapa que no había terminado de colorear,
en el resumen de lectura que no había *escrito*.

Auuu.
Le dolía la tripa.

Uuuff.
Le dolía la cabeza.

Ayyy.
Le dolía la garganta.

Estaba enfermo.

Conque ¿cuál iba a ser el programa de actividades?

¿Mates o Max el Mutante Alucinante?

¿Comas o **cómics**?

¿*Ortografía* o **Ratas homicidas**?

¿Exámenes o **tele**?

«Mmmmmmmmm», pensó Pablo Diablo, «qué elección tan difícil».

–¡Cof! ¡Cof!

Su **padre** siguió leyendo el periódico.
–¡Cof! ¡Cof! ¡Cof! ¡Cof!

–¿No te encuentras bien, Pablo?
–dijo su padre sin levantar la vista.

–¡NO! –dijo Pablo sofocado–.
Yo también estoy enfermo. No puedo ir al colegio.

Su **padre** dejó caer lentamente el periódico.
–No tienes aspecto de enfermo, Pablo –dijo.

–Pues lo estoy
–dijo quejumbroso Pablo Diablo, agarrándose el cuello–.
La garganta me duele muchísimo, de verdad –gimió.
Y añadió unas cuantas toses por si acaso–.
Me siento débil –dijo con un hilo de voz–. Me duele todo.

Su padre dio un suspiro.
–Muy bien, puedes quedarte en casa –dijo.

191

**«¡Bieeen!»**, pensó Pablo Diablo.

Estaba asombrado.
Por lo general, necesitaba muchos más quejidos y gemidos
para que sus mezquinos y desalmados padres decidieran
que estaba lo suficientemente enfermo
como para no ir al colegio.

–Pero nada de jugar con el ordenador
–le advirtió su **padre**–. **Si estás enfermo, tienes que tumbarte.**

Pablo Diablo se sintió ofendido.

–¡Jugar con el ordenador me hace sentirme mejor!
–protestó.
**–Si estás bueno para jugar con el ordenador,
también lo estás para ir al colegio** –atajó su **padre**.

Vaya palo.

Bueno, pues entonces lo que haré será agarrar
mi edredón, echarme en el sofá
y ver MOGOLLÓN de tele.
Mamá me traerá bebidas fresquitas
y la comida en una bandeja,
y a lo mejor hasta helada.

A veces es una pena ponerse demasiado enfermo
como para no poder disfrutar de estar enfermo.

Podía oír cómo su madre y su padre discutían
en el piso de arriba.

—Tengo que ir a trabajar —decía su **madre**.

—**Tengo que ir a trabajar** —decía su **padre**.

—Yo me quedé en casa la última vez —dijo su **madre**.

—**No. Me quedé yo** —dijo su **padre**.

—¿Estás seguro? —preguntó su **madre**.

—**Sí** —contestó su **padre.**

—¿Seguro que estás seguro? —insistió su **madre**.

Pablo Diablo apenas podía creer lo que estaba oyendo.
¡Mira que discutir sobre quién tenía que quedarse en casa!
Cuando fuera mayor se quedaría en casa todo el tiempo,
probando juegos de ordenador
por un millón de euros a la semana.

Fue de un brinco al cuarto de estar.

Allí paró de brincar.
Una **HORRIBLE** criatura, colorada
y llena de mocos, se extendía,
bajo un **edredón**,
sobre el supercómodo **sillón negro**.

193

TRALALÁ LALÍA.
Vente con nosotros
a pasar el día,
y a comer sandía,
a jugar al corro
en la guardería
de la alegría.

Pablo Diablo se sentó en el sofá.

–Quiero ver Los robots atacan de nuevo –dijo.

–Estoy viendo *La guardería de la alegría*
–dijo Roberto, sorbiéndose los mocos.

–Deja de dar sorbetones –dijo Pablo.

–No puedo evitarlo, se me llenan las narices de mocos
–dijo Roberto.

–Yo estoy más enfermo que tú y no doy sorbetones
–afirmó Pablo.

–Yo estoy más enfermo que tú –replicó Roberto.

—Cuentista.

—Cuentista, tú.

—Mentiroso.

—¡Mentiroso, tú!

—¡Mamá!

Su madre entró en la habitación
con una bandeja de bebidas frías y dos termómetros.

—¡Pablo me está fastidiando! —gimoteó Roberto.

—¡Roberto me está fastidiando más!
—se quejó Pablo.

—Si estás bueno para pelearte,
también lo estás para ir al colegio
—sentenció su **madre** mirándole con severidad.

—Yo no me peleaba. Era Roberto —se excusó Pablo.

—Era Pablo —replicó Roberto tosiendo.

Pablo tosió más fuerte. Roberto gimió.

Pablo gimió más fuerte.

-Aaaaaauuuu

-Aaaaaauuuuuuuuuu
-se quejó Pablo-.
No hay derecho.
Quiero ver Los robots atacan de nuevo.

-Yo quiero ver *La guardería de la alegría*
-lloriqueó Roberto.
-Roberto puede elegir lo que quiera ver
porque es el que está más enfermo
-dijo su **madre**.

¿Roberto más enfermo que yo?
Habrase visto...,
Bueno, pues no estoy dispuesto a que mi día
de enfermedad se vaya al traste por culpa
del aguafiestas de mi hermano,
faltaría más.

-Yo soy el que está más enfermo, mamá
-protestó Pablo-. Lo que pasa es que me quejo menos.

Su madre parecía cansada.
Metió un termómetro   en la boca de Pablo
y otro en la de Roberto.

-Volveré dentro de cinco minutos
para ver cuánta **fiebre** tenéis
-dijo-. Y no quiero volver a oíros
rechistar a ninguno de los dos -añadió saliendo de la habitación.

Pablo se recostó desmayadamente en el sofá
con el termómetro en la boca.
Se encontraba fatal. Se tocó la frente. ¡Estaba ardiendo!
¡Debía de tener cuarenta de fiebre!

«Apuesto a que tengo tanta fiebre que el termómetro no va a tener números suficientes», se dijo Pablo.

Cuando su **madre** se diera cuenta de lo enfermo
que estaba, se iba a arrepentir de haber sido tan injusta
con él. Roberto, el niño perfecto, se puso a gemir.

—Voy a vomitar —dijo entre dientes.

Se sacó el termómetro de la boca
y corrió fuera de la habitación.

En cuanto Roberto salió, Pablo saltó del sofá
y miró el termómetro de su hermano.

¡Treinta y nueve grados! Vaya por Dios,
Roberto tenía fiebre de verdad.

Ahora toda la atención de su madre
se concentraría en su hermano.
Y Pablo tendría que ocuparse de él también.
Hasta puede que a Roberto le dieran dos bolas de helado.

Tenía que hacer algo.

Rápidamente, Pablo sumergió el termómetro de Roberto en el vaso de agua con hielo.

Bip. **Bip.** Pablo Diablo miró su propio termómetro. `Treinta y seis y medio.` Normal.

¡Normal!

¿Que su temperatura era normal? Imposible.
¿Cómo iba a ser normal su temperatura,
con lo enfermo que estaba?
Si su madre veía aquella temperatura,
le haría vestirse para ir al colegio inmediatamente.
Estaba claro que aquel estúpido termómetro
estaba estropeado.
Pablo Diablo lo acercó un ratito a la **bombilla**
de la lámpara.

Tip Tap. `P a s o s.`

Pablo sacó el termómetro de Roberto del vaso de agua
helada y volvió a meterse el suyo en la boca.

¡Auuu! ¡Qué caliente estaba!

¡Rayos! Su madre estaba de vuelta.
—Vamos a ver si tienes fiebre
—dijo su **madre** sacándole a Pablo el termómetro de la boca—.

¡Cincuenta y cinco grados!
—chilló.

Vaya… Se había pasado.

—El termómetro debe de estar roto —musitó Pablo—. Pero seguro que tengo fiebre. Estoy **ardiendo.**

—Mmmm —dijo su madre, tocándole la frente.

Roberto entró lentamente en el cuarto de estar. Tenía la cara muy pálida.

—Mira mi fiebre, mamá —dijo, y se dejó caer des madejado sobre las almohadas.

Su madre miró el termómetro.

—¡Diez grados! —chilló.

—Ese también debe de estar roto —dijo Pablo.

Y decidió cambiar inmediatamente de conversación.

—Mamá, ¿podrías abrir las cortinas, porfa? —pidió.

—Prefiero que estén cerradas —dijo Roberto.

—¡Cerradas!   —¡Abiertas!

Roberto estornudó

—Las dejaremos cerradas —atajó su **madre.**

–¡Mamá! –llamó Pablo–. ¡Roberto me ha llenado de mocos!

–¡Mamá! –llamó Roberto–. ¡Pablo huele **fatal**!

Pablo Diablo dirigió a Roberto una mirada asesina.
Roberto, el niño perfecto,
dirigió una mirada asesina a Pablo Diablo.
Pablo se puso a silbar.
Roberto se puso a tararear.

–¡Pablo está silbando!

–¡Roberto está tarareando!

–¡MAMÁ! –chillaron los dos a un tiempo.

–¡YA BASTA!
–gritó su madre–.
¡CADA UNO A SU CUARTO!

¡AHORA MISMO!

Pablo y Roberto subieron a sus respectivos cuartos
a r r a s t r á n d o s e pesadamente.

—Todo por tu culpa –increpó Pablo.

–La culpa es tuya –replicó Roberto.

La puerta de la calle se abrió.
Su **padre** entró. Parecía muy pálido.

—No me encuentro bien —murmuró—.
Voy a meterme en la cama.

Pablo Diablo estaba a b u r r i d o, harto.
¿De qué servía estar enfermo si no podía uno ver la tele ni jugar con el ordenador?

—¡Tengo hambre! –se quejó Pablo Diablo.

–¡Tengo sed! –se quejó Roberto, el niño perfecto.

–¡Me duele todo! –se quejó su padre.

–¡Mi cama está ardiendo!
–gimió Pablo Diablo.

–¡Mi cama está helada!
–gimió Roberto, el niño
perfecto.

–¡Mi cama está ardiendo y helada a la vez!
–gimió su padre.

Su **madre** corrió escaleras arriba.

Su **madre** corrió escaleras abajo.

–¡Quiero helado! –gritó Pablo Diablo.

–¡Quiero la bolsa de agua caliente!
–gritó Roberto, el niño perfecto.

–**¡Quiero más almohadas!** –gritó su **padre**.

Su **madre** subió las escaleras.

Su **madre** bajó las escaleras.

–¡Una tostada! –chilló Pablo.

–¡Pañuelos de papel! –graznó Roberto.

–**¡Té!** –pidió jadeante su **padre**.

–¿Podéis esperar un momento?
–suplicó su **madre**–.
Necesito sentarme.

–¡¡¡NO!!!

–aullaron Pablo, Roberto y su **padre**.

–De acuerdo –dijo su **madre**.

Subió lentamente las escaleras.

Bajó lentamente las escaleras.

—¡Me duele la cabeza!

—¡Me duele la garganta!

—¡Me duele la tripa!

Su **madre** subió penosamente las escaleras.
Su **madre** *bajó* penosamente las escaleras.

—¡Patatas fritas! —chilló Pablo.

—¡Pastillas para la tos!
—graznó Roberto.

—¡Un... pañuelo!
—pidió sin aliento su **padre**.

203

Su **madre** subió
t a mb a l e á n d o s e
las escaleras.

Su **madre** bajó
t a mb a l e á n d o s e
las escaleras.

Pablo Diablo miró la hora.
Las tres y media.
¡Habían acabado las clases! ¡Había llegado el fin de semana!
Era increíble lo bien que se encontraba de repente.

—¡Mamá! —gritó Pablo Diablo—.
Me encuentro mucho mejor.
¿Puedo jugar ya con el ordenador?

Su **madre** entró t a mb a l e á n d o s e en el cuarto de Pablo.

—Gracias a Dios que estás mejor, Pablo —susurró—,
porque yo me encuentro fatal. Voy a meterme en la cama.
¿Puedes traerme una taza de té?

—Estoy ocupado —dijo Pablo, molesto.

Su **madre** le miró con severidad.

—Vale —dijo a regañadientes Pablo.

¿Por qué no se lleva mamá
su propio té a la cama?
Tiene dos piernas, ¿no?

Pablo Diablo se refugió en el cuarto de estar.
Se sentó frente al **ordenador** y le metió el disco
de LA REBELIÓN DE LOS ROBOTS INTERGALÁCTICOS:

ESTA VEZ VA EN SERIO. GOZADA TOTAL.
Desintegraría unos cuantos robots rebeldes y luego jugaría un rato
con La venganza de las macroserpientes.

—¡Pablo!
—llamó débilmente su **madre**—. ¿Dónde está mi té?

—¡Pablo!
—llamó roncamente su **padre**—. **¡Tráeme un vaso de agua!**

—¡Pablo!
—llamó gimoteando Roberto—. ¡Tráeme otra manta!

Pablo Diablo frunció el ceño.

¿Cómo demonios
voy a concentrarme
con tantas interrupciones?

-¡Té!   **¡Agua!**   -¡Manta!

-¡Vete tú a buscarla!
¿Es que me habéis tomado por un criado?

–**¡Pablo!** –rugió sordamente su **padre**–.
¡Sube aquí ahora mismo!

Pablo Diablo se puso en pie m u y   d e s p a c i o.
Miró con nostalgia la pantalla iluminada.
Pero ¿qué remedio le quedaba?

-¡Yo también estoy enfermo! –anunció–. ¡Me vuelvo a la cama!

Estimada Señorita Guillotina:

Pablo no asistió ayer al colegio porque le mordió un hombre lobo.

Atentamente,

La madre de Pablo

Estimada Señorita Guillotina:

Pablo tiene la peste negra, por eso no puede hacer el examen de matemáticas ni Educación Física hoy.
El doctor dice que hacer deberes podría ser MORTAL.

Atentamente,

La madre de Pablo

Estimada Señorita Guillotina:

Pablo estuvo enfermo ayer con 52º de fiebre. Estaba tan caliente que prendió fuego a su cama, la cual quemó toda su habitación, así que no tiene ropa que ponerse.

Atentamente,

La madre de Pablo

ROBERTO

ROBERTO

ROBERTO

PABLO DIABLO

y el diario de Roberto

–¿Qué estás haciendo?
–preguntó Pablo Diablo,
entrando de sopetón en el cuarto de Roberto.

–NADA
–contestó rápidamente Roberto, el niño perfecto, cerrando
su cuaderno al momento.

–Mentira –le espetó Pablo.

–Vete de mi cuarto
–exigió Roberto–. No puedes entrar sin mi permiso.

Pablo Diablo echó una mirada
por encima del hombro de Roberto.

–¿Qué estás escribiendo?

–**No es asunto tuyo** –respondió Roberto,
y tapó el cuaderno cerrado con el brazo,
apretándolo con **fuerza**.

–Claro que es asunto mío,
si estás escribiendo sobre mí.

–Es mi *DIARIO* y puedo escribir en él lo que me parezca
–dijo Roberto–. La señorita Zalamea ha dicho
que debemos escribir nuestro diario cada día
durante una semana.

–Pues qué aburrido... –dijo Pablo bostezand.

–Nada de eso –replicó Roberto–.
Pero ya te enterarás la semana que viene
de lo que estoy escribiendo.
Me han escogido para que lea mi diario
en voz alta durante la asamblea que organiza nuestra clase.

A Pablo Diablo se le la sangre en las venas.
¿Que Roberto iba a leer su *diario* en voz ALTA?
¿Para que todo el colegio pudiera oír las mentiras
de Roberto sobre él?

¡Ni hablar!

¡Dame eso!

–chilló Pablo Diablo, abalanzándose
sobre el *diario*.

–¡No!
–gritó Roberto sujetándolo con fuerza–.

¡MAMÁÁÁÁ! ¡Socorro!
¡Pablo está en mi cuarto!
¡Y ha entrado sin llamar!
¡Y no se quiere ir!

–¡Cierra el pico, acusica! –exclamó Pablo entre dientes,
tirando de los dedos de Roberto para que soltara el diario.

–MAM ÁÁÁÁÁÁ ÁÁÁÁ !

–aulló Roberto.

Su **madre** subió las escaleras a GRANDES
ZANCADAS.

Pablo abrió el diario.
Pero antes de que pudiera leer una sola palabra,
su madre irrumpió en la habitación.

–¡Me ha quitado mi diario a la fuerza!
¡Y me ha dicho que cerrara el pico!
–gimió Roberto.

–¡Pablo! ¡Deja de fastidiar a tu hermano!
–dijo su **madre**.

–No le estaba FASTIDIANDO
–contestó Pablo.

–Sí que lo hacías –lloriqueó Roberto.

–Y ahora le has hecho llorar
–dijo su **madre**–. PÍDELE PERDÓN.

–Solo le estaba preguntando por sus deberes –protestó inocentemente Pablo.

–Estaba intentando leer mi diario –dijo Roberto.

–¡PABLO! –exclamó su **madre**–. ¡Eres imposible! Un diario es algo privado. Deja ahora mismo a tu hermano en paz.

NO HABÍA **DERECHO**.

¿Por qué su madre creía siempre a Roberto?

¡Bah!

Pablo Diablo salió del cuarto de Roberto. Si creían que iba a esperar a la asamblea para enterarse de lo que había escrito Roberto, iban frescos.

Pablo Diablo llevaba días vigilando, tratando de hacerse con el diario de Roberto. Estaba apostado en las escaleras…

ñeec

Ñeec

ñeec

Pablo Diablo miró a su derecha.

Pablo Diablo miró a su izquierda.

Su **madre** estaba abajo,
trabajando en el ordenador.
Su **padre** estaba en el *jardín*.
Roberto estaba jugando en casa de Pepito el *Exquisito*.

POR FIN NO HABÍA MOROS EN LA COSTA.

No había tiempo que perder.

Quedaba un día para que se celebrarse
la asamblea organizada por la clase de Roberto.

¿Mencionaría acaso la pelea de la comida del último domingo,
cuando Pablo no había tenido más remedio
que tirarle a Roberto
toda la pasta churretosa por encima?

¿O cuando Pablo tuvo que echar
a empujones
a Roberto del supercómodo sillón
negro y pellizcarle?

¿O lo de ayer, cuando Pablo le echó
del Club de la Mano Negra y Roberto fue corriendo
y chillando a decírselo a su madre?

Seguro que un gusano baboso y embustero
como Roberto haría que Pablo pareciera el culpable,
cuando en realidad Roberto
TENÍA SIEMPRE LA CULPA DE TODO.

Y lo que era **peor**:
¿qué asquerosas mentiras
habría estado inventando Roberto sobre él?
La gente escucharía las trolas de Roberto
y pensaría que eran verdad.

¡Y cuando Pablo fuera famoso
y se escribieran libros sobre él,
alguien encontraría el diario de Roberto
y se lo creería todo!

Las cosas escritas solían parecer espantosamente ciertas,
aunque fueran **enormes** y cochinas mentiras…

Pablo se deslizó dentro del dormitorio de Roberto
y cerró la puerta.
A ver, ¿dónde estaba el dichoso diario?
Pablo echó un rápido vistazo
al ordenado escritorio de Roberto.
Solía dejarlo en la segunda balda,
junto a sus trofeos y sus ceras de colores.

Pero el diario… no estaba allí.
¡Rayos! Roberto debía de haberlo escondido.

¿Habrase visto, ese gusarapo?
¿Por qué demonios habrá escondido su diario?
¿Y dónde demonios lo habrá escondido
semejante sabandija?
¿Detrás de sus diplomas de «Bueno como el Pan»?
¿En la cesta de la ropa sucia?
¿Debajo de su colección de sellos?

Miró en el cajón
de los calcetines de Roberto.
Ni rastro.

Miró en el cajón
de la ropa interior de Roberto.
Ni rastro.

Miró debajo de la almohada de Roberto
y debajo de la cama de Roberto.
Ni rastro tampoco.

A ver, ¿dónde escondería yo un diario?
Muy fácil. Lo metería en un cofre
y lo enterraría en el jardín
con una maldición pirata escrita encima.

Sin saber bien por qué,
dudó de que Roberto
hubiera sido tan astuto.

«A ver», pensó Pablo,
«Si yo fuera un sapo grasiento como él,
¿dónde lo escondería?».

¡a estantería de los libros.

Pues claro.
¿Qué mejor sitio para esconder un libro?

Pablo se acercó despacio a la estantería de Roberto,
donde estaban todos sus libros colocados
por orden alfabético

¿Qué era aquello que sobresalía entre ¡Qué Pañal tan Ideal!
y El Delfín más Saltarín?

¡Ajajá!

«Ya te tengo», se dijo Pablo Diablo,
sacando el diario de la estantería de un tirón.

Por fin iba a conocer los secretos de Roberto.
Le obligaría a tachar todas sus mentiras,
aunque aquello fuera lo último que hiciese.

Pablo Diablo se sentó y empezó a leer:

LUNES
Hoy he hecho un dibujo de mi profesora,
la señorita Dulcinea Zalamea.
La señorita Zalamea me ha puesto
una estrella de oro por mi lectura.
Y es que soy el MEJOR lector de toda la clase.
Y el MEJOR en mates.
Y el MEJOR en todo lo demás.

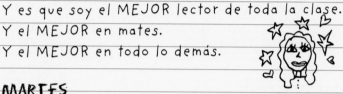

MARTES
Hoy he dicho «por favor» y «gracias» 236 veces.

MIÉRCOLES
Hoy me he comido toda la verdura.

JUEVES
Hoy he sacado punta a mis lápices.
He comido coles de Bruselas y he repetido.

VIERNES
Hoy le he escrito una poesía a mi mamá:

Amo mucho a mi mamita,
salí de su barriguita,
su comida es exquisita
y está siempre calentita.
Por eso amo a mi mamita.

Pablo Diablo cerró d e s p a c i o el diario de Roberto.

Sabía que el diario sería lamentable,
pero ni en sus peores pesadillas se había imaginado
que fuera tan lamentable.

Roberto, el niño perfecto,
no le había mencionado ni una sola vez.
Ni una sola.

«Se diría que uno ni siquiera vive en esta casa»,
pensó Pablo.

Estaba indignado.
¿Cómo podía atreverse Roberto a no escribir sobre él?
Con la cantidad de majaderías que sí había escrito…

La reputación de Pablo quedaría por los suelos
cuando la gente oyera el diario de Roberto
en la asamblea y se diera cuenta
del hermano tan impresentable que tenía Pablo,
todos se burlarían de él.

Pablo Diablo no podría sobrevivir
a semejante vergüenza.
Roberto necesitaba su ayuda,
y la necesitaba con urgencia.
Pablo Diablo agarró un lápiz y se puso a trabajar.

LUNES

Hoy he hecho un dibujo de mi profesora,
la señorita Dulcinea Zalamea.
La he dibujado con orejas de cerdo
y barrigón gigantesco.
Luego la he usado como diana para los dardos.

La señorita Zalamea me ha puesto
una estrella de oro por mi lectura.
La señorita Zalamea es la peor profe que he
tenido. En realidad debería llamarse señorita
Diarrea. Señorita Tolomea Diarrea es como la
llamamos a sus espaldas Pepito y yo.
¡Jeje, nunca lo sabrá!

Y es que soy el mejor lector de toda la clase.
Y el mejor en mates.
Y el mejor en todo lo demás.
Lástima que mis calzoncillos apesten
y tenga piojos en el pelo.

«Esto ya es otra cosa», se dijo Pablo.

MARTES

Hoy he dicho «por favor» y «gracias» 236 veces.

¡Y un jamón! He llamado a mamá caralechuga
y a papá besugo apestoso. Luego he jugado
a piratas con Pablo,
el hermano más FANTÁSTICO del mundo.

Me gustaría ser tan listo como Pablo,
pero ya sé que es imposible.

MIÉRCOLES

Hoy me he comido toda la verdura.
Luego he mangado montones de caramelos
del tarro de los caramelos
y he mentido a papá después, claro.
Miento estupendamente.

Nadie debería creerse nunca una palabra
de lo que digo. El que se la carga es Pablo,
pero la verdadera culpa de todo es siempre mía.

JUEVES

Hoy he sacado punta a mis lápices.
¡Así podré escribir más notas
para fastidiar a la gente!
He comido coles de Bruselas y he repetido.
Luego le he vomitado a mamá encima.
Puaj, qué peste.
En realidad soy un sapo apestoso.
Y también un suertudo por
tener un hermano mayor como Pablo.
Siempre es majísimo conmigo. ¡Aúpa Pablo!

VIERNES

Hoy le he escrito una poesía a mi mamá:

Amo mucho a mi marmita,
me llena la barriguita,
su comida es exquisita
y está siempre calentita.
Por eso amo a mi marmita.

223

«Mucho mejor», pensó Pablo Diablo.
«Esto ya es lo que yo llamo un diario.
Si no, todo el mundo se hubiera muerto
de aburrimiento».

Pablo volvió a colocar c u i d a d o s a m e n t e
el diario de Roberto en la estantería.

«Espero que Roberto agradezca
lo que estoy haciendo por él»,
se dijo Pablo Diablo.

El día de la asamblea, el Gran Salón de Actos
estaba ocupado por el colegio en pleno.
La clase de Roberto se había sentado orgullosamente
en los bancos delanteros.
La clase de Pablo estaba sentada en el suelo
con las piernas cruzadas.
Los padres estaban en sillas, a ambos lados.

La madre y el padre de Roberto le saludaron,
agitando las manos.
Roberto les devolvió tímidamente el saludo.

La señorita Dulcinea Zalamea se puso EN PIE.

—Hola, mamás y papás, niños y niñas. Bienvenidos a la asamblea que convoca nuestra clase. Durante este trimestre, los niños de la clase han escrito sus diarios.

Y ahora vamos a leeros algunos de ellos.

El primero en leer será Roberto.

Prestad todos atención

y considerad si podríais ser tan buenos como sé que ha sido Roberto.

Quisiera que cada uno de vosotros imitara alguna de las buenas acciones de Roberto.

Reconozco que me muero de impaciencia por escuchar cómo ha pasado esta última semana.

Roberto se levantó y abrió su diario. Con voz firme y bien alto, leyó:

LUNES

Hoy he hecho un dibujo de mi profesora, la señorita Dulcinea Zalamea.

Roberto miró a la señorita Zalamea.

Ella le dirigió una mirada radiante.

La he dibujado con orejas de cerdo
y barrigón gigantesco.

¿¿¿Cómo???

Siempre le había resultado difícil leer en voz alta
y entender lo que había leído,
pero allí algo había que no le sonaba muy bien.
No recordaba haber escrito nada
de un **cerdo barrigudo**.

Roberto miró nerviosamente a su **madre** y a su **padre**.
¿Era su imaginación, o sus sonrisas se habían convertido
en miradas de preocupación?
Roberto sacudió la cabeza y siguió leyendo.

La señorita *Zalamea* me ha puesto
una estrella de oro por mi lectura.

¡Uff!

Eso ya estaba mejor.
Debía de haber oído mal antes sus propias palabras.

La señorita Zalamea
es la peor profe que he tenido.
En realidad debería llamarse señorita Diarrea.
Señorita Tolomea Diarrea ...

—Gracias, es más que suficiente.

Interrumpió muy seria
la señorita *Zalamea*,
mientras el colegio entero
rompía a reír estrepitosamente.
Su cara había enrojecido.

—Roberto, ven a verme después de la asamblea.
Ahora Rosendo
va a hablarnos de esqueletos.

225

–Pero... **pero...** –se atragantó Roberto, el niño

perfecto–, yo... yo no, **yo nunca...**

–Siéntate y cállate
–dijo doña Enriqueta Vinagreta, la directora–.
Os veré a ti y a tus padres más tarde.

–¡BUUUAAAAAAA! –aulló Roberto.

Su madre y su padre
se miraban cabizbajos.
¿Por qué habrían
tenido hijos?
¿Por qué no se los tragaba
el suelo que pisaban?

¡Aaaaayyyyy!

Naturalmente, Pablo se la cargó.
Y se la cargó de verdad. **¡Qué injusticia!**
¿Por qué no le creería nadie cuando explicó que había
mejorado el diario de Roberto por su propio bien?
Desde luego, nunca volvería a hacerle un favor a Roberto.

NUNCA JAMÁS.

EL DIARIO DE PABLO DIABLO

LUNES
Hoy le he escrito un poema a marga.
No puedo creer que no le haya gustado
(jee, jee...).
Le mangué cinco patatas fritas a Roberto
de su plato mientras estaba mirando
para otro lado,
¡y le endosé disimuladamente
todos mis guisantes!

MARTES
Hoy he leído a escondidas un tebeo de mad max
que ocultaba en el libro de mates durante la clase.
¡Desgraciadamente, se me olvidó asegurarme
de que había colocado el libro boca arriba! ¡Buff!

MIÉRCOLES
¡Hoy ha sido un gran día! ¡me he encontrado
50 céntimos por la calle y me he comprado
una gigantesca chocolatina!

JUEVES
Mamá no me dejaba ver más tele,
así que la he llamado bicho apestoso.
¡Cómo se ha puesto!
Después,
papá no me ha dejado tomar más patatas fritas,
así que le he llamado cara de moco.
Ahora estoy en mi cuarto.

VIERNES
Roberto ha intentado cogerse el supercómodo
sillón negro, pero le he engañado diciéndole
que mamá le llamaba, y entonces me lo he apropiado.
¡Un comienzo perfecto de fin de semana!

227

La función de Navidad de PABLO DIABLO

La función de Navidad de PABLO DIABLO

noviembre

1	2	3	4	5	6	7
8	9	10	11	12	13	14
15	16	17	18	19	20	21
22	23	24	25	26	27	28
29	30					

Un frío y oscuro día de noviembre
(Faltan 37 días para **Navidad**)

Pablo Diablo se dejó caer en la moqueta
y deseó con toda su alma
que el reloj acelerara su marcha.

¡Solo cinco minutos para la hora de ir casa!

Pablo podía ya saborear las patatas fritas
que sacaría furtivamente de la despensa.

La señorita Agripina Guillotina
seguía dando la paliza con las comidas del colegio ¡puajjj
la nueva fuente de agua potable y tal y cual,
la nueva función escolar de Navidad y tal y…

¿Cómo? ¿Qué había dicho la señorita Guillotina?…
¿Función de Navidad?
Pablo Diablo se incorporó.

—Se trata de una función completamente nueva,
con canciones y danzas
—siguió diciendo la señorita Guillotina—.

Y este año participarán tanto los chicos **mayores**
como los pequeños.

¡Canciones! ¡Danzas!

¡Exhibirse delante de la escuela en pleno!

Años atrás, cuando estaba en preescolar, había hecho de octava oveja en la función de **Navidad** y se había llevado al Niño del pesebre, negándose a devolverlo.
Pablo confiaba en que la señorita Guillotina no se acordase de eso.

Porque Pablo TENÍA QUE SER EL PROTAGONISTA.
Tenía que serlo.

¿Quién sino Pablo podría ser un San José que cantase y danzase a tope?

¡Me pido ser la Virgen!

—chillaron todas las niñas de la clase.

¡Me pido ser un Rey Mago!

—chilló Renato Mentecato.

¡Me pido ser una oveja!

—chilló Andrés Pesteapiés.

–¡Me pido ser San José!

–chilló Pablo Diablo.

–¡No, yo!

–chilló Pascual el Musical.

–¡Yo!

–chilló Benito el Cerebrito.

–¡Silencio! –bramó la señorita Guillotina–.
Yo voy a ser la directora de la obra,
y la decisión sobre los papeles de cada uno es solo MÍA.
He hecho el siguiente reparto: Marga, tú serás la Virgen
–y le pasó a Marga Caralarga
un guión de muchas páginas.

Marga dio un alarido de alegría.

Todas las demás niñas la miraron con ferocidad.

–Susana: las patas delanteras de la mula.

Vanesa: las patas traseras.

Daciana y Clarisa : bueyes. Las briznas de hierba serán…
La señorita Guillotina continuó repartiendo papeles.

«Ponme de San José, ponme de San José»,
suplicaba en silencio Pablo Diablo.

¿Quién mejor que el MEJOR ACTOR del colegio
para el papel estelar?

–¡Soy una oveja, soy una oveja, soy una oveja preciosa!
–gorieaba Marina la Cantarina.

–¡Soy un pastor!
–decía radiante **Peporro** el Ceporro.

–¡Soy un ángel!
–canturreaba Marta la **Lagarta**.

–¡Soy una brizna de hierba!
–sollozaba Guillermo el Muermo.

–El papel de San José será para…

–¡MÍ!
–gritó Pablo.

-¡Mí!

–gritaron Donato el Novato, Hilarión el Trag**ó**n,

David el de Madrid y Bautista el Velocista.

–... **Roberto** –dijo la señorita Guillotina–,
de la clase de la señorita Dulcinea *Zalamea*.

Pablo Diablo se sintió
como si le hubieran dado una patada en el estómago.

¿Roberto, el niño perfecto?

¿Su hermano menor?

¿Iban a darle a Roberto el papel estelar?

–¡No hay derecho! –aulló Pablo Diablo.

La señorita Guillotina le miró con severidad.

–Pablo, tú serás… –la señorita Guillotina consultó su lista.

«Por favor,
una brizna de hierba,
no; una brizna de hierba, no, por favor»,
suplicó en silencio Pablo Diablo, encogido.

Humillarle así sería típico de la señorita Guillotina.
Cualquier cosa menos eso…

¡El posadero!

Pablo Diablo se irguió, radiante.
Qué estúpido había sido.
El posadero tenía que ser el papel estelar.

Pablo se veía ya limpiando vasos,
lanzando dardos

y sirviendo **grandes** jarras de Burbucola
a todos sus alegres parroquianos
mientras

cantaba una copla sobre las delicias de ser posadero.

Luego se enzarzaría en una bonita
y larga discusión sobre por qué no había sitio en la posada y,
por último, tendría la ocasión de darle un portazo en las
narices a Marga Caralarga
tras haberla echado a empujones. A lo mejor
hasta conseguía cantar una segunda canción.
«Ron ron ron, la botella de ron»
quedaría que ni pintada y podría cantarla
y bailarla tirando patas arriba a los compañeros
de clase menos espabilados que él.

¡Qué divertido iba a ser!

La señorita Guillotina le entregó una hoja escrita.

-Tu papel –dijo.

Pablo se quedó e s t u p e f a c t o .

Tenían que faltar unas cuantas páginas…

Leyó:

(San José llama a la puerta. El posadero abre.)

SAN JOSÉ: ¿Hay sitio en la posada?

POSADERO: No

(El posadero cierra la puerta.)

Pablo Diablo dio vuelta a la hoja.

Estaba en blanco. La miró al trasluz.
No tenía ninguna escritura secreta.
Aquello ERA TODO.
Todo su papel se reducía a una línea.
Una línea estúpida e insignificante.
Ni siquiera una línea.

Solo una palabra: NO.

¿Y su canción?
¿Dónde estaba su danza
con las botellas y los clientes de la posada?
¿Cómo podía dársele a ÉL, a Pablo Diablo,
al mejor actor de la clase
(y del mundo en realidad)
solo una palabra en la función del colegio?

¡Si hasta la mula
tenía una canción!

Y lo peor era que, después de decir su única palabra,
Roberto, el niño perfecto y Marga Caralarga
estarían de cháchara durante horas
hablando de pesebres y reyes magos y pastores

y ovejas, y luego cantarían un dúo,
mientras él, Pablo, se quedaría con las briznas de hierba,
sin hacer nada, detrás de un montón de heno.

¡Qué injusticia!

237

Él debería ser la estrella del espectáculo,
no el estúpido gusano que tenía por hermano.

Y además,
¿por qué se le daba a Roberto
el papel de San José?

Era un pésimo actor.
No sabía cantar,
solo croaba como una rana despachurrada.
¿Y por qué tenía Marga que hacer de Virgen?
Ya nunca dejaría de fanfarronear y de darse importancia…

¡UUUUUUUUAAAAAAAAAAAAAHHHHHHHH

–¡Qué **excitante**!
–dijo la **madre** de Pablo y Roberto.

–¡Qué emocionante!
–dijo el padre–.
Nuestro chiquitín **va a ser la estrella del espectáculo.**

Estamos muy orgullosos de TI.

Bravo, Roberto.

Bueno, en realidad
la estrella no soy yo.
Todos son importantes.
Incluso los pequeños papeles,
como las briznas de hierba
y el posadero.

Pablo Diablo atacó.
Era un **Gran Tiburón Blanco** dispuesto a matar.

-¡UUUAAAAAAAAAHHH! –graznó Roberto–.
¡Pablo me ha mordido!

–¡Pablo! ¡Deja de incordiar!
–ordenó su **madre**.

–¡Pablo! ¡Vete a tu cuarto!
–ordenó su **padre**.

Pablo Diablo subió las escaleras
dando patadones y pegó un portazO.

¿Cómo podría soportar la humillación
de hacer el papel de posadero si Roberto era la gran estrella?
No le quedaba más remedio
que cambiar los papeles con Roberto.

Pablo estaba seguro de que podría encontrar
la forma de persuadirle, aunque persuadir a su profesora
iba a ser harina de otro costal.

La señorita Guillotina tenía
una forma **malévola** y espantosa
de no hacer nunca lo que Pablo quería.

Quizá pudiera convencer a Roberto
de que no participara en la función.

¡Eso es!

Y luego ofrecerse generosamente
para reemplazarlo.

Y entonces Pablo Diablo tuvo una idea brillante,
espectacular.

¿Cómo no se le había ocurrido antes?

Si no podía conseguir un papel de más importancia,
él mismo se encargaría
de que su papel adquiriera más importancia.

Pero, por desgracia,
no había ninguna garantía de que la señorita Guillotina
le diera a Pablo el papel de Roberto.
Seguro que se limitaría a sustituir a Roberto
por Pepito el *Exquisito*.
Estaba en un brete. Podría, por ejemplo, gritar

«¡NO!».

Eso podría producir una reacción.
O podría chillar «¡NO!», y luego pegarle
a San José.

«Soy un posadero malhumorado», pensó Pablo Diablo,
«y no soporto que vengan huéspedes a mi posada.
Y menos huéspedes malolientes como San José».

O podría aullar «¡NO!», pegar a San José
y luego robarle.

«Soy un posadero ladrón», pensó Pablo Diablo.
«O más bien soy un ladrón que se hace pasar
por posadero. Eso animaría un poco la función».

Quizá pudiera ser un posadero ladrón francés,
aullar «¡Non!» y desvalijar a la Virgen
y a San José.
O podría ser un posadero ladrón francés pirata,
y entonces podría aullar «¡Non!», atar a la Virgen
y a San José y hacerles pasar por la tabla…

Quizá mi papel no sea tan pequeño después de todo.
Al fin y al cabo, el posadero
era el personaje más importante.

«Hmmmmmmmmmmmm», pensó Pablo Diablo.

diciembre

1	2	3	4	5	6	7
8	9	10	11	12	13	14
15	16	17	18	19	20	21
22	23	24	25	26	27	28
29	30	31				

12 de diciembre
(Solo faltan 13 días
para Navidad)

Los ensayos habían sido i n t e r m i n a b l e s.
Pablo Diablo había pasado la mayor parte del tiempo
d e s p a t a r r a d o en una silla.

Nunca había presenciado una función tan aburrida.
Naturalmente, estaba intentándolo todo para mejorarla.

¿Puedo añadir una danza?

La señorita Agripina Guillotina
le miró severamente con sus ojos enrojecidos.

-No
—dijo secamente la señorita Guillotina.

—¿Puedo añadir una cancioncita superpequeñita?
—suplicó Pablo.

-¡No!
—dijo secamente la señorita Guillotina.

—Pero ¿cómo sabe el posadero que no hay sitio?
—se obstinó Pablo—. Creo que yo tendría que...

—Una sola palabra más, Pablo, y te cambias con Vanesa
—le espetó—. A ver, briznas de hierba, vamos a intentarlo otra vez...

¡Alto ahí!

Un posadero con un papel de una sola palabra era
infinitamente mejor que ser invisible haciendo de patas
traseras de una mula.
De todos modos, era tan injusto...
Solo estaba intentando ayudar.

diciembre

1	2	3	4	5	6	7
8	9	10	11	12	13	14
15	16	17	18	19	20	21
22	23	24	25	26	27	28
29	30	31				

¡Era el día de la función!

No quedaba un solo trapo de cocina
en las tiendas de la localidad.
Las madres y los padres habían pasado toda la **noche**
en vela, cosiendo el vestuario.
Pero la espera y los ensayos habían terminado POR FIN.

Todos se alinearon en el escenario, detrás del telón.
Roberto y Marga esperaban entre bambalinas para hacer
su gran entrada como la Virgen y San José.

—¿No te parece emocionante hacer una función de teatro de verdad, Pablo?
—susurró Roberto.

—NO —rezongó Pablo.

—Cada uno a su sitio para la canción de entrada
—apremió sibilante la señorita Guillotina—.
Y recordad: no os preocupéis si os equivocáis un poquito;
seguid adelante y nadie se dará cuenta.

—Pues yo sigo pensando que debería tener una discusión
con la Virgen y San José sobre si hay sitio o no hay sitio
—insistió Pablo—. Por lo menos debería asegurarme y mirar si...

–¡**No!** –dijo bruscamente la señorita Guillotina
mirándole ferozmente–.
Pablo, como vuelva a oírte rechistar, vas a ir a sentarte
detrás de los montones de heno y tu papel lo hará Pascual.

¡**Briznas de hierba!** ¡En fila, con las que hacen de mula!

¡**Ovejas!** Listas para balar… ¡**Tino!**
¿Eres oveja o brizna?

–No sé –dijo Tino el Tocino.

La señora Vinagreta subió al escenario.

–Bienvenidos todos, mamás y papás,
niños y niñas, a nuestro nuevo retablo de **Navidad**, algo
distinto al de años anteriores. ¡Confiamos en que todos
disfruten de la función, un verdadero estreno mundial!

La señorita Guillotina puso en marcha el CD.
Sonó la música.

245

Se levantó el **telón**.

El auditorio rompió a patear y a dar vítores.

Las estrellas parpadearon.

Los caballos relincharon.

Los bueyes mugieron.

Las ovejas balaron.

Las cámaras dispararon sus flashes.
Pablo Diablo se quedó entre bambalinas,
viendo cómo los pastores ejecutaban
su Danza de los Montes.

Aún no había decidido del todo
cómo iba a desarrollar su actuación.
Había tantas posibilidades… Era tan difícil escoger…

Al fin llegó su gran momento.

Atravesó a grandes pasos el escenario y se puso
a esperar a la Virgen y a San José detrás de la puerta
cerrada de la posada.

El **posadero** dio un paso al frente
y abrió la puerta.
Ante él estaban Marga Caral a r g a,
toda remilgosa, haciendo de Virgen,
y Roberto, el niño perfecto,
dándose importancia, haciendo de San José.

-¿Hay sitio en la posada?
–preguntó San José.

«Buena pregunta», pensó Pablo Diablo.

Tenía la mente en blanco.

Había pensado en muchas cosas estupendas
que podría decir, tantas que se le había borrado
por completo de la cabeza lo que tenía que decir.

–¿Hay sitio en la posada?

–repitió San José, levantando considerablemente la voz.

–Sí
–dijo el **posadero**–.
Pasen, pasen.

San José miró a la Virgen.
La Virgen miró a San José.

En el público se produjo un murmullo.
«¡Rayos!», pensó Pablo Diablo.

Ya se acordaba. Tenía que haber dicho «no».
Pero ya no había remedio…
Conque, de perdidos, al río.

El posadero agarró por las mangas a la Virgen
y a San José y les hizo cruzar la puerta de un tirón.

—Pasen de una vez, que no tengo todo el día.

—... pero..., pero... la posada está llena
—dijo la Virgen.

—No, no lo está
—dijo el posadero.

—Sí que lo está.

—No lo está.
Es mi posada y lo sé muy bien.
Esta es la mejor posada de todo Belén.
Tenemos televisores, y camas, y...
—el posadero hizo una breve pausa;
¿qué tenían dentro las posadas?—
... ¡y ordenadores!

La Virgen miró fijamente al **posadero**.
El **posadero** miró fijamente a la Virgen.
La señorita Guillotina gesticulaba frenéticamente
desde las bambalinas.

–Pues a mí esta posada
me parece llena
–dijo la Virgen con firmeza–.
Ven, José. Vámonos al establo.

–Oh, no. No vayan allí. Cogerán pulgas
–dijo el **posadero**.

–¿Y qué?
–dijo la Virgen.

–Me encantan las pulgas
–dijo débilmente San José.

–Y está lleno de estiércol –dijo el **posadero**.

–Lo estará usted…
–le espetó la Virgen.

–No se ponga así, señora
–dijo el posadero con severidad–.
Vamos, siéntense, reposen sus cansados huesos
y yo les cantaré una canción.

Y el posadero rompió a cantar:

Quince hombres sobre el cofre del muerto.
Ron ron ron, la botella de ron.
La bebida y el diablo hicieron el resto.
Ron ron ron, la botella de…

–¡OOOOOOOOHHH!
–gimió la Virgen–. ¡Voy a tener el Niño!

–¿No puede usted esperar hasta que haya acabado mi canción?
–se irritó el **posadero**.

–¡NO!
–aulló la Virgen.

La señorita Guillotina
se pasó el borde de la mano por la garganta.
Pablo Diablo no hizo caso.
La función debía continuar de todos modos.

–Venga, José
–interrumpió la Virgen–.
Vamos ahora mismo al establo.

–Vale
–dijo San José.

–Cometen ustedes un gran error
–dijo el **posadero**–. Tenemos televisión vía satélite y...

La señorita Guillotina se precipitó al escenario
y le echó el guante.

–Gracias, **posadero**.
El resto de los huéspedes le necesitan con urgencia
–dijo, agarrándole por el cuello.

–¡Feliz Navidad!
–chilló Pablo Diablo mientras
la señorita Guillotina
le arrastraba fuera del escenario.

Se produjo un silencio largo, m u y l a r g o .

La **madre** y el **padre** de Pablo
no sabían muy bien qué hacer,
si aplaudir o huir a algún lugar
donde nadie los conociera.
La **madre** aplaudió.
El **padre** se tapó la cara con las manos.

–¡Bravo! –aulló la tía sorda de Marga Cara l a r g a .

–¿Crees que alguien se habrá dado cuenta? –susurró la **madre**.

El **padre** observó el gesto amenazador
de la señora Vinagreta y se hundió en su asiento.
¿Llegaría alguna vez a aprender la manera
de hacerse invisible?

–¿Pero qué podía hacer yo?
–estaba diciendo Pablo Diablo más tarde,
en el despacho de la señora Vinagreta–.
No fue culpa mía olvidarme del guión.
La señorita Guillotina dijo que,
si nos equivocábamos, no nos preocupáramos
y siguiéramos adelante...

¡No podía evitar que acabara de nacer una estrella!

PABLO
HA NACIDO
UNA ESTRELLA

EL ARCHIVO DE DATOS DEL REY PABLO DIABLO

TIPOS INDESEABLES
La señorita Guillotina
Marga Caralarga
Don Severo Retortero
Roberto, el niño perfecto
Doña Enriqueta Vinagreta

• • • • • • • • • • • • • • •

LOS MEJORES BOCADOS

Primer plato:
Trufas de chocolate

Segundo plato: Postre:
Pizza   Helado de chocolate
Hamburguesas   Tarta de chocolate
Patatas fritas   Galletas de chocolate
Chocolate   Caramelos

• • • • • • • • • • • • • • •

LAS PEORES COMIDAS
Al jefe de cocina le han cortado la cabeza

Primer plato:
Pastel de espinacas

Segundo plato: Postre:
Mejillones   Fruta
Intestinos
Coles de Bruselas
Coliflor

¡¡¡¡¡Puajjjjjj!!!!!

LOS PEORES CASTIGOS
Foso infestado de pirañas
Nido de serpientes
Cocodrilos come-hombres
Jaula de escorpiones

LA MEJOR NORMA
Los padres deben ir a colegio, no los niños

LOS PEORES CRÍMENES
Decir la palabra «pitiminí»
Mandar deberes
La hora de acostarse

EL MEJOR TRONO
El cómodo sillón negro

EL PEOR TRONO
La silla de clase

LOS MEJORES ROPAJES REALES
Traje de Gladiador-Exterminador

LOS PEORES ROPAJES REALES
Traje de pajecillo

EL MEJOR PALACIO
300 habitaciones con 300 televisores

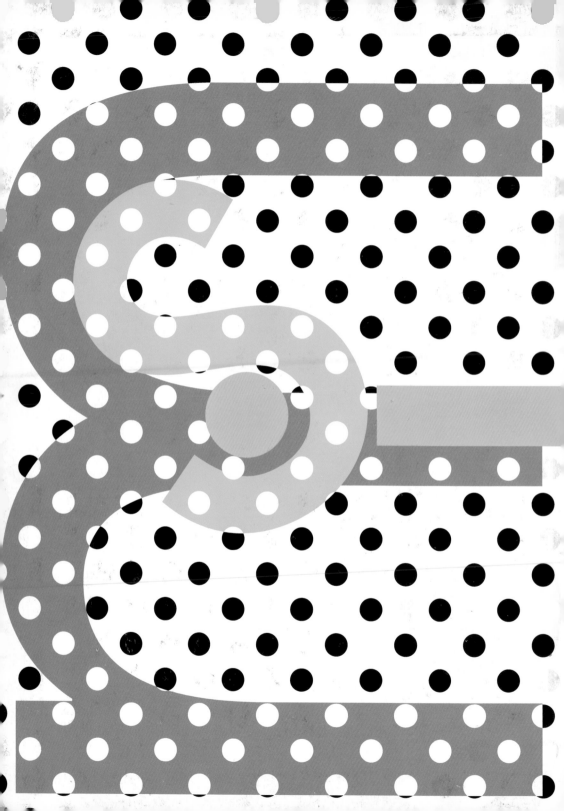